保育士
入門テキスト

'25年版

成美堂出版

この本の使い方

※ここに掲載しているページは見本です。
本文とは一致しません。

この科目は**どんな科目**なのか、**学習ポイント**はどこなのかを解説しています。

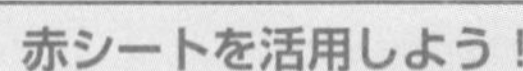

赤シートを活用しよう！

本文の解説中、特に覚えておきたい部分を**赤字**にしています。付属の**赤シート**を使って**確認・暗記**することができます。

まずは**Part 1**で**保育士**と**保育士試験**について学びましょう。科目ごとの出題ポイントや、どんな問題が出るのかなども紹介しています。

Part 1

2 保育士資格を取ろう

ここからは、実際に保育士を目指そうと思ったときに知っておかなければならないことについて詳しく解説します。まずは保育士の資格の取り方についてです。

1 保育士資格って？

「保育士資格」は国家資格です。①都道府県知事が指定する保育士の養成学校などを卒業するか、②保育士試験に合格することで取得できます。

都道府県知事が指定する保育士の養成学校とは？

都道府県知事が指定する、4年制大学、短期大学、専門学校（いずれも保育士養成課程）、保育士養成施設などのことです。学校・施設によっては、通信課程で保育士の資格を取得できるところもありますが、実技・実習科目のためのスクーリングに参加する必要があります。

2 「地域限定保育士」はどんな制度？

2015（平成27）年度より、国家戦略特別区域限定保育士、通称「地域限定保育士」という資格制度が創設されました。試験に合格し、登録後の3年間は受験した自治体でのみ保育士として働くことができ、その後は全国どこででも働くことができるようになります。受験資格や免除制度については、通常の保育士試験と同じです。

2024(令和6)年度に地域限定保育士試験を実施予定の自治体は、神奈川県、大阪府、沖縄県の予定ですが、これらの地域に住んでいない人でも受験できます。神奈川県は全国共通の日程とは別に、8月に試験が行われ、大阪府、沖縄県は後期試験と同じ日程で、受験申請時に全国か地域限定かを選択します。地域限定試験では、実技試験に代わって実技講習会が行われています。ただし、地域限定保育士試験については実施団体や内容などが変わることもありますので必ずご自身で確認してください。

10

Part 2

2 保育原理

保育士は、保育の基本的な考え方や目標、どんな保育をするかなどを理解した上で、日々の保育を行う必要があります。保育の本質ともいえる「保育原理」について学びましょう。

1 「保育」と「保育所」とは？

保育所（園）における「保育」とは、0歳から小学校就学前までの乳児や幼児（以下、「子ども」）が健康で安全・安心に過ごせるよう「養護」するとともに、心身が健全に成長するよう「　　」をすることをさし、「養護」と「教育」が一体となった概念です。朝、保育所に登園してきた子どもと笑顔であいさつを交わし、スキンシップをとりながら受け入れをするのは、「　　」的な関わりです。靴のはき替え方や、靴箱の位置をていねいに伝えながら、保育所での生活に必要な行動ができるようにするのは、「　　」的な関わりです。

そして、保育所保育は、保育士が子どもを一人の人格ある人として尊重し、生命を守り、情緒の安定を図りつつ、子どもが自ら環境に関わり、心動かされるような豊かな体験を積み重ねながら心も体も成長していけるよう養護と教育を一体的に行うことを特徴としています（58ページ参照）。

ココは覚える！ 保育所の特性とは？

①専門性を有する職員（保育士、調理員、栄養士、看護師等）による保育、②家庭との緊密な連携、③子どもの状況や発達過程をふまえた保育、④環境を通して行う保育、⑤養護と教育の一体性

保育所保育指針に示されている、保育の基本原則です。

52

ココは覚える！
必ず覚えておきたい**重要ポイント**です。

※本書は原則として、2024年6月現在の法令等に基づいて編集しています。ただし、編集時点で入手できた法令等の改正情報はできるだけ反映しています。

保育士について知りたい、保育士試験の学習を始めたいという方のために、筆記試験から実技試験まで、わかりやすく解説しています。

ここでチャレンジ！

各科目で学んだ内容を**確認**するための問題です。**赤シート**を活用しましょう。

ここでチャレンジ！

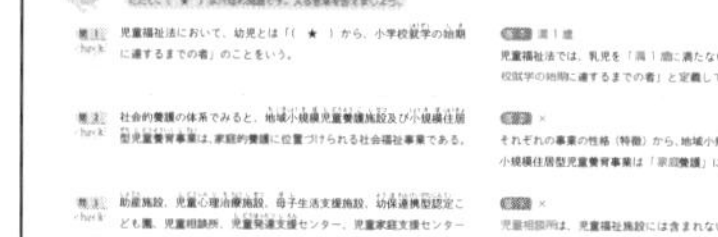

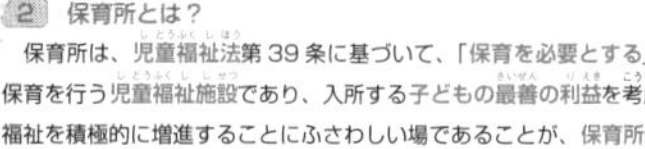

2 保育所とは？

保育所は、児童福祉法第 39 条に基づいて、「保育を必要とする」子どもの保育を行う児童福祉施設であり、入所する子どもの最善の利益を考慮し、その福祉を積極的に増進することにふさわしい場であることが、保育所保育指針に示されています。「保育を必要とする」とは、例えば、ある子どもの保護者が仕事についていて、子どもを預ける親族がいない場合などはこれに該当します。

条文 check!

児童福祉法

第 39 条 1 項　保育所は、保育を必要とする乳児・幼児を日々保護者の下から通わせて保育を行うことを目的とする施設（利用定員が 20 人以上であるものに限り、幼保連携型認定こども園*を除く。）とする。

* 満 3 歳以上の子どもに対する教育（幼稚園機能）と、保育を必要とする子どもに対する保育（保育所機能）を一体的に行う施設

Check!

「保育を必要とする」主な状況

①就労（基本的にすべての就労に対応）
②妊娠、出産
③保護者の疾病、障害
④同居または長期入院している親族の介護・看護など
⑤就学（職業訓練校などにおける職業訓練を含む）

保育所保育指針では、保育所の社会的責任として、(1) 子どもの人権に十分配慮しながら、一人ひとりの人格を尊重して保育を行うこと、(2) 地域社会との交流や連携を図り、保護者などに保育の内容を適切に説明するよう努めること、(3) 個人情報を適切に取り扱い、保護者の苦情などを解決するよう努めることを規定しています。

53

条文 check！

大事な条文を紹介しています。赤字部分が**キーワード**ですのでそのまま覚えましょう。なお、難しい語句には読みやすいようにふりがなをつけています。

Check！

本文の理解を**助ける内容**や、一歩進んで、**学んでおきたいこと**などをまとめてあります。

※ '25 年後期試験に向けた法改正はブログでフォロー

本書編集後の法令等の改正のうち、試験への出題が予想されるものについては、本書専用のブログに掲載する予定です。改正点は出題される可能性が高いので、必ずチェックしましょう。

③子ども家庭福祉

④社会福祉

⑤教育原理

⑥社会的養護

Part1

保育士と保育士試験のはじめてガイド

本書に掲載の試験情報等は編集時点のものです。
変更になる可能性がありますので、受験される方は
事前に必ずご自身で、最新情報をご確認ください。

1 保育士とは？

「子どもたちに囲まれて楽しく仕事がしたい」と思ったら、まず思い浮かぶのが保育士ではないでしょうか。では、保育士とはどんな職業なのでしょうか。

1 保育士とは？

保育士は、保育所（園）などで、児童の保育や、児童の保護者に対して保育に関する指導を行う**専門職**です。保育士になるためには、まず、「保育士資格」を取得し、保育士として「登録」しなければなりません。保育士として登録し、「**保育士証**」を手にすることで「保育士」を名乗れるようになります。

2 保育士はどんなところで働くの？

保育士の主な職場は「保育所」ですが、他にも児童福祉法に定められた**児童福祉施設**を中心に、さまざまな場所で働くことができます。

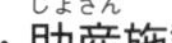

Check!

児童福祉施設

・助産施設　・**乳児院** *　・**母子生活支援施設**（母子支援員として）
・**保育所**　・**幼保連携型認定こども園**（保育教諭として **）
・児童館などの**児童厚生施設**（児童の遊びを指導する者として）
・**児童養護施設**　・**障害児入所施設**　・**児童発達支援センター**
・**児童心理治療施設**　・**児童自立支援施設**（児童生活支援員として）
・児童家庭支援センター　・里親支援センター

* 乳幼児 10 人以上 20 人以下を入所させる場合
** 2024（令和 6）年度末までの経過措置

赤字は保育士を必ず置かなければならない施設です。**黒太字**は、保育士を（　）内の職種として認めています。

3 保育士ってどんな仕事をするの？

保育士は、基本的な生活習慣の指導や集団生活の大切さを伝えるだけでなく、一日のほとんどの時間を家庭から離れて過ごす子どもたちが、安心して過ごせるようにサポートするという大切な役割を担っています。身の回りの世話のほか、遊びを通して心身の発達の促進に関わるさまざまな仕事をしています。

また、**保護者や地域の子育て家庭**への保育に関する指導や支援も行います。

Check!

「保育を必要とする」状況とは？

①**就労**（基本的にすべての就労に対応）　②妊娠、出産
③保護者の疾病、障害
④同居または長期入院している親族の介護・看護など
⑤災害復旧　⑥**求職活動**（起業準備を含む）
⑦就学（職業訓練校などにおける職業訓練を含む）
⑧虐待やDVのおそれがあること
⑨育児休業取得時に、すでに保育を利用している子どもがいて、継続利用が必要な場合
⑩その他、上記に類する状態であると市町村が認める場合

4 保育士を取り巻く現状は？

最近では、女性の社会進出がますます進み、保育所などの施設に子どもを預ける家庭が急増しています。保育時間の延長や24時間保育、休日保育などのニーズも高まってきており、たくさんの保育士の活躍が求められています。

また、幼保連携型認定こども園の増加に伴って、**保育教諭**の需要も高まっています。保育教諭になるためには、幼稚園教諭と保育士の両方の資格を取得する必要があります。

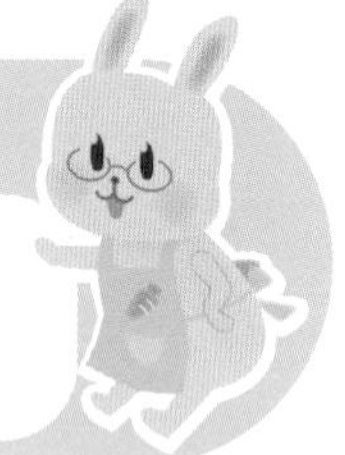

2 保育士資格を取ろう

ここからは、実際に保育士を目指そうと思ったときに知っておかなければならないことについて詳しく解説します。まずは保育士の資格の取り方についてです。

1 保育士資格って？

「保育士資格」は国家資格です。①都道府県知事が指定する保育士の**養成学校**などを卒業するか、②**保育士試験**に合格することで取得できます。

都道府県知事が指定する保育士の養成学校とは？

都道府県知事が指定する、４年制大学、短期大学、専門学校（いずれも保育士養成課程）、保育士養成施設などのことです。学校・施設によっては、通信課程で保育士の資格を取得できるところもありますが、実技・実習科目のためのスクーリングに参加する必要があります。

2 「地域限定保育士」はどんな制度？

2015（平成27）年度より、国家戦略特別区域限定保育士（こっかせんりゃくとくべつくいきげんていほいくし）、通称「**地域限定保育士**」という資格制度が創設されました。試験に合格し、登録後の**3年間**は受験した自治体でのみ保育士として働くことができ、その後は全国どこででも働くことができるようになります。受験資格や免除制度については、通常の保育士試験と同じです。

2024(令和6)年度に地域限定保育士試験を実施予定の自治体は、神奈川県、大阪府、沖縄県の予定ですが、これらの地域に住んでいない人でも受験できます。神奈川県は全国共通の日程とは別に、８月に試験が行われ、大阪府、沖縄県は後期試験と同じ日程で、受験申請時に全国か地域限定かを選択します。地域限定試験では、実技試験に代わって実技講習会が行われています。ただし、地域限定保育士試験については実施団体や内容などが変わることもありますので必ずご自身で確認してください。

◉保育士試験を受験する主なルート

高校卒業または同等資格者
- 大学に 2 年以上在学して 62 単位以上を修得
- 大学に 1 年以上在学中で年度中に 62 単位以上を修得見込み
- 高等専門学校、短期大学、専門学校（修業年限 2 年以上）を卒業、または年度中に卒業見込み
- 平成 3 年 3 月 31 日までに高校卒業
- 平成 8 年 3 月 31 日までに高校の保育科卒業
- 児童福祉施設で 2 年以上かつ 2,880 時間以上の保育経験

中学卒業
- 児童福祉施設で 5 年以上かつ 7,200 時間以上の保育経験

その他
- 学童保育勤務者、認可外保育施設勤務者などで、都道府県知事が受験資格があると認定した人
- 外国において、学校教育における 14 年以上の課程を修了した人
- 詳細については試験実施団体の HP でご確認ください。

→ **試験に合格して資格取得**

※**幼稚園教諭免許の所有者**は「保育の心理学」「教育原理」「実技試験」が受験免除となります。また、**社会福祉士**、**精神保健福祉士**、**介護福祉士**のいずれかの**免許所有者**は「子ども家庭福祉」「社会福祉」「社会的養護」が受験免除となります。

免除申請など、詳細については試験実施団体の HP でご確認ください。

受験資格を確認しよう！

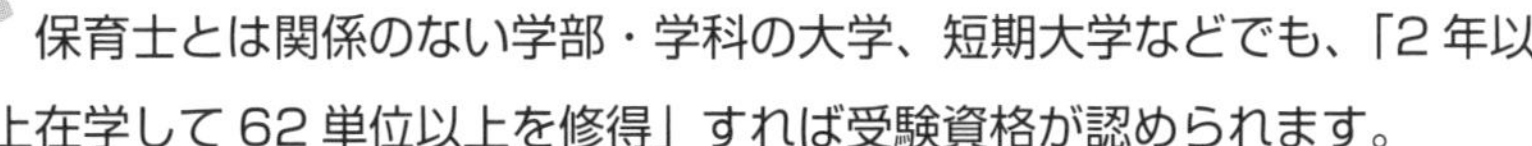

保育士とは関係のない学部・学科の大学、短期大学などでも、「2 年以上在学して 62 単位以上を修得」すれば受験資格が認められます。

詳しい受験資格については、試験実施団体である、「一般社団法人　全国保育士養成協議会」の下記ホームページで確認しましょう。

https://www.hoyokyo.or.jp/exam/qualify/index.html

3 保育士試験はどんな試験？

保育士試験はどんな試験なのでしょうか？　ここでは試験の詳しい内容と、気になる合格率などをみていきましょう。

1 保育士試験はいつあるの？

保育士試験は「**一般社団法人　全国保育士養成協議会**」が実施しています。2016（平成 28）年からは**年に 2 回**実施されており、後期筆記試験は一部の自治体では**地域限定保育士**試験の筆記試験として実施されます。

前期試験：筆記 4 月中旬～下旬　　実技 6 月下旬～ 7 月上旬

後期試験：筆記 10 月中旬～下旬　実技 12 月上旬～中旬

2 筆記試験

筆記試験は、**マークシート**方式です。問題文中に指示された正答数の数だけ塗りつぶします。また、全科目それぞれ **6 割以上**の得点で合格となります（「教育原理」と「社会的養護」は同年に**両科目とも 6 割以上**の得点が必要）。

保育士試験は、前期と後期で出題の**法令基準日**が違います。ここ数年、前期試験は**試験日前年の 4 月 1 日**までに施行されたもの、後期試験は**試験日の年の 4 月 1 日**までに施行されたものでした。自分の受ける試験について、しっかり確認しておきましょう。

筆記試験の科目

◉ 1 日目

保育の心理学（60 分）	保育原理（60 分）	子ども家庭福祉（60 分）	社会福祉（60 分）
20 問／ 100 点	20 問／ 100 点	20 問／ 100 点	20 問／ 100 点

◉ 2 日目

教育原理（30 分）	社会的養護（30 分）	子どもの保健（60 分）	子どもの食と栄養（60 分）	保育実習理論（60 分）
10 問／ 50 点	10 問／ 50 点	20 問／ 100 点	20 問／ 100 点	20 問／ 100 点

3 実技試験

筆記試験の９科目すべてに合格すると、実技試験を受けることになります。実技試験は、**音楽**に関する技術、**造形**（ぞうけい）に関する技術、**言語**に関する技術の３分野から２分野を、**受験の申し込み時**に選択します。

それぞれ 50 点満点で **6 割以上の得点**が合格ラインですが、同年に両分野とも合格する必要があります。

4 試験の合格率は？

保育士試験の合格率については 10 ～ 20%台のことが多く、突破するのはなかなか難しいといえます。

ただし、6 割以上の点数がとれた科目については原則２年後まで「**科目免除**」を受けることができるため、何年かかけて資格をとるという方法もあります。

◉保育士試験の合格率（全国平均）

令和元年（前）	令和元年（後）	令和２年（後）	令和３年（前）	令和３年（後）	令和４年（前）	令和４年（後）
14.1%	32.9%	23.0%	18.7%	21.3%	31.5%	29.5%

※令和２年（前）は新型コロナの影響で実技試験のみのため省略

Check!

保育士試験事務センターの HP は必ず確認！

保育士試験事務センターの HP には「受験申請の手引き」「受験資格」「保育士試験Ｑ＆Ａ」など、保育士試験に関する重要事項が掲載されています。必ず目を通しておきましょう。

一般社団法人　全国保育士養成協議会

HP　https://www.hoyokyo.or.jp

4 受験の申請とスケジュール

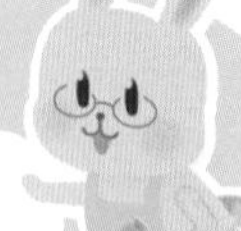

試験のスケジュールを確認して、具体的な試験勉強の対策を立てましょう。また、保育士の資格登録はなるべく早く行うことが大切です。

1 受験申請はどうするの？

保育士試験を受験するためには、まず受験の申請を行います。**オンライン申請**と、**郵送申請**の２つの方法があります。

オンライン申請の場合

「一般社団法人　全国保育士養成協議会」のホームページで**マイページ登録**（初回のみ）を行い、マイページから手続きを行います。申請に必要な書類や写真などもマイページからアップロードします。受験申請の受付が正しく完了すると、受付が完了したことを知らせるメールが届きます。また、受験申請の受付状況や、試験結果もマイページから確認できるようになっています。

郵送申請の場合

まず、「一般社団法人　全国保育士養成協議会」のホームページで「**受験申請手引き**」を取り寄せます。「**受験申請書**」や書類送付用の封筒などが同送されてきますので、受験申請書に記入して、必要な書類や写真などをまとめ、郵便局の窓口から**簡易書留**で送ります。期限に遅れないように気をつけましょう。

受験手数料

オンライン申請の場合は、クレジットカードで即時決済するか、指定のコンビニエンスストアの店頭での支払となります。

郵送申請の場合は、「受験申請の手引き」に同封されている払込取扱票（はらいこみとりあつかいひょう）を使って郵便局の窓口で支払い、受け取った振替払込受付証明書（ふりかえはらいこみうけつけしょうめいしょ）を「受験申請書」に貼ります。

保育士試験スケジュール（例）

前期	後期	オンライン申請		郵送申請
12月〜1月	6月〜7月	マイページ登録（初回のみ）	↓	「受験申請の手引き」請求及び配布開始
1月〜2月	7月	マイページにて受験申請	↓	受験申請書提出
4月	10月		筆記試験受験票送付 ↓ 筆記試験 ↓	
6月	11月〜12月	マイページにて筆記試験結果を確認	実技試験受験票送付 ↓	筆記試験結果通知書送付
6月〜7月	12月		実技試験	
8月	1月	マイページにて試験結果を確認	↓	合格通知書送付 一部科目合格通知書送付

2 保育士資格を登録するには？

保育士試験に合格して資格を取得したら、登録が必要です。登録については**登録事務処理センター**のホームページに紹介されています。

登録には、保育士登録申請書、郵便振替払込受付証明書、「保育士試験合格通知書」などの保育士となる資格を証明する書類の提出が必要です。

登録事務処理センターホームページ：https://www.nippo.or.jp/hoikushi/

5 試験科目をグループ別に分けてみよう!

保育士として必要な基礎知識を得るグループ

②保育原理＋⑤教育原理（＋⑨保育実習理論）

保育、教育の意義（いぎ）や歴史的変遷（へんせん）、現代の課題までを包括的（ほうかつてき）にまとめた科目グループです。保育士として知っておきたい知識について学びます。

施設での養護を考えるグループ

⑥社会的養護＋⑨保育実習理論

施設養護（しせつようご）のあり方や現状の課題、実際に行われるべき保育の内容や保育士としての心構えなどについて学びます。

保育士試験の科目は、それぞれの内容が関連し合っています。特につながりが強い科目ごとにグループ分けしておくと、学習する際に、今何について学んでいるかということが把握しやすくなります。ぜひ参考にしてみてください。

健全な育成のための施策を学ぶグループ

③子ども家庭福祉＋④社会福祉（＋⑥社会的養護）

福祉制度や行政の取り組み、今後の課題について学ぶ科目グループです。子どもの健全な育成を社会的に達成するための事柄について重点的に取り組みます。

子どもの発達について学ぶグループ

①保育の心理学＋⑦子どもの保健＋⑧子どもの食と栄養

保育の現場で必ず必要となる科目グループです。子どもの発達の理解や保健と食生活の関わりなど、子どもたちが健康に成長していくために保育士が知っておくべき大切な内容です。

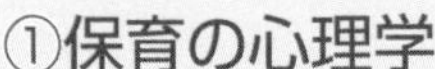

①保育の心理学

人間の発達や心理について学ぶ科目です。子どもの**発達の進み方**、関連する心理学者の**理論**についての理解が求められます。乳幼児期の心理的発達とその特徴について、運動、感情、言語、認知、遊び、愛着、社会性の発達など、広い範囲から出題されています。また、乳幼児期以降の発達を問う問題も出ていますので、人間の**生涯発達**についても学んでおきましょう。愛着などの親子関係に関する問題（発達初期の重要性に関する問題）や、子どもを取り巻く環境に関する問題は特に押さえておきましょう。他にも、**子育て家庭の現状や支援**に関する問題が出ています。

✿ 例えば、こんな問題がでます

次の文は、人と環境に関する記述である。これに該当する理論として、最も適切なものを一つ選びなさい。（2024 年前期　問 17）

情報が環境の中に存在し、人がその情報を環境の中から得て行動していると考える。この理論を踏まえると、保育環境は、子どもが関わるものというだけにとどまらず、環境が子どもに働きかけているといえる。つまり、子どもが環境を捉える時には、行動を促進したり、制御したりするような環境の特徴を、子どもが読み取っているといえる。

1　生態学的システム論
2　発生的認識論
3　正統的周辺参加論
4　社会的学習理論
5　アフォーダンス理論

答　5

②保育原理

保育の本質や歴史、さらには保育の実際（保育方法）について学ぶ重要科目です。特に毎回約半分の問題が**「保育所保育指針」**から出題されており、必ず押さえておく必要があります。ただし、「保育所保育指針」で扱われる内容は幅が広く、用語も難しいため、丸暗記ではなく、全体像をつかむようにしましょう。一方、それ以外の**事例問題**や**保育の歴史**を問う問題は、しっかりと学習していれば比較的、点をとりやすい内容となっています。「保育所保育指針」とともに、バランスよく勉強しましょう。

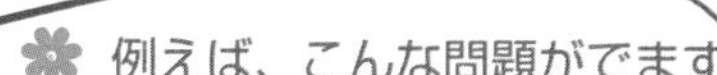

例えば、こんな問題がでます

次のうち、「保育所保育指針」に照らし、保育所における3歳以上児の戸外での活動として、適切な記述を選びなさい。

（2024年前期　問3・一部改題）

A　子どもの関心が戸外に向けられるようにし、戸外の空気に触れて活動する中で、その楽しさや気持ちよさを味わえるようにすることが必要である。

B　園庭ばかりではなく、近隣の公園や広場などの保育所の外に出かけることも考えながら、子どもが戸外で過ごすことの心地よさや楽しさを十分に味わうことができるようにすることが大切である。

C　室内での遊びと戸外での遊びは内容や方法も異なるため、室内と戸外の環境を常に分けて考える必要がある。

D　園庭は年齢の異なる多くの子どもが活動したり、交流したりする場であるので、園庭の使い方や遊具の配置の仕方を必要に応じて見直すことが求められる。

答　A、B、D

③子ども家庭福祉

子どもの育ちを支えたり、安心して成長できる家庭環境を保障するためのしくみを学ぶ科目です。社会福祉に含まれる分野の１つですが、従来の「児童福祉」の呼称（こしょう）に家庭支援の考えなども含めて、近年、「子ども家庭福祉」と呼ばれています。試験では、子ども家庭福祉の**制度**や**歴史**、**「児童の権利に関する条約」「児童福祉法」**など、法律の理解も必要になります。また、**少子化**、**児童虐待（ぎゃくたい）**、**DV** など、子どもや家庭を取り巻く社会問題も子ども家庭福祉で取り扱う内容の一部です。

✿ 例えば、こんな問題がでます

次のＡ～Ｅは、子ども家庭福祉に関する法律である。これらを制定年の古い順に並べた場合の正しい組み合わせを一つ選びなさい。

（2023 年前期　問 3）

Ａ　児童扶養手当法
Ｂ　児童福祉法
Ｃ　児童手当法
Ｄ　児童虐待の防止等に関する法律
Ｅ　少年法

（組み合わせ）
1　Ｂ→Ｅ→Ａ→Ｃ→Ｄ
2　Ｂ→Ｅ→Ｄ→Ａ→Ｃ
3　Ｃ→Ｂ→Ｅ→Ｄ→Ａ
4　Ｅ→Ｂ→Ｃ→Ａ→Ｄ
5　Ｅ→Ｂ→Ｄ→Ａ→Ｃ

答　1

④社会福祉

社会福祉に含まれるさまざまな分野を幅広く学ぶ科目です。試験では、**理念**や**歴史**、国が実施している**統計の結果**、**社会福祉関連の法律**、**事業や施設の位置づけ**などが出題されています。また、身近な**年金**や**介護**、**社会保険**などのしくみも頻出な部分となりますので、日頃から新聞やニュースをみてその内容を理解しておくと役立ちます。その他、**生活保護**、**第三者評価**、**苦情解決**のしくみも押さえておきたい項目です。学習範囲が広いので、早い時期から学習を始めると良いでしょう。

✿ 例えば、こんな問題がでます

次のうち、日本の社会保険制度に関する記述として、適切な記述を○、不適切な記述を×とした場合の正しい組み合わせを一つ選びなさい。

(2023 年前期　問 4)

A　介護保険制度の保険者は、国民に最も身近な行政単位である市町村（特別区を含む）とされている。

B　公的医療保険の種類は、国民健康保険と後期高齢者医療制度の２種類である。

C　雇用保険制度とは、失業等給付を行うことであり、その他の事業は行わない。

D　労働者災害補償保険制度では、原則として業種の規模や正規・非正規職員の別などの雇用形態を問わず、労働者のすべてに適用される。

（組み合わせ）

	A	B	C	D
1	○	○	○	×
2	○	○	×	○
3	○	×	×	○
4	×	○	○	×
5	×	×	○	×

答　3

⑤教育原理

教育の基礎理論を学び、保育の視野を広げるための大切な科目です。「社会的養護」と同様に、出題数が通常の科目の半分の10問であるため、6問は必ず正解をとる必要があります。**教育史**や**教育思想**についての出題が多く、その他「**日本国憲法**」「**教育基本法**」「**学校教育法**」「**幼稚園教育要領**」などが重要です。また、近年の教育問題を受けて文部科学省から出された通知や法に関する出題もみられます。これまでの出題例をきちんと押さえつつ、可能な限り学習範囲を広げて準備することが必要です。

✿ 例えば、こんな問題がでます

次の文は、「幼稚園教育要領」の一部である。（　A　）～（　C　）にあてはまる語句の正しい組み合わせを一つ選びなさい。

（2023年後期　問2・一部改題）

（　A　）は、生涯にわたる人格形成の基礎を培う重要なものであり、（　B　）は、（　C　）に規定する目的及び目標を達成するため、幼児期の特性を踏まえ、環境を通して行うものであることを基本とする。

（組み合わせ）

	A	B	C
1	乳幼児教育	幼稚園教育	教育基本法
2	乳幼児教育	幼児期の教育	学校教育法
3	幼児期の教育	乳幼児教育	学校教育法
4	幼児期の教育	幼稚園教育	学校教育法
5	就学前教育	幼児期の教育	教育基本法

答　4

⑥社会的養護

子どもの権利を守り、施設において社会的に子どもを養育していく上で必要な知識などを学ぶ科目です。「教育原理」と同じく出題数は10問のため、確実に正答を出せる準備が必要です。近年では、社会的養護に関する**歴史上の人物**や**施設**、**児童虐待**、施設で暮らす**子どもの状況**などを問う問題が多く出題されています。「児童養護施設運営指針」や「児童養護施設入所児童等調査結果」といった公的な情報からの出題も多いことから、これまでの出題例をヒントに学習範囲を広げて、必要な資料をそろえていく作業も大切です。

✿ 例えば、こんな問題がでます

次のうち、「児童養護施設運営指針」（平成24年3月　厚生労働省）に基づく養育・支援に関する記述として、不適切な記述を一つ選びなさい。

（2023年前期　問6・一部改題）

1　子ども自身が自分たちの生活について主体的に考えて、自主的に改善していくことができるような活動（施設内の子ども会、ミーティング等）を行うことができるよう支援する。

2　子どもが孤独を感じることがないよう、できるだけ中学生以上においても2人以上の相部屋とする。

3　子どもが基本的な信頼感を獲得し、良好な人間関係を築くために、職員と子どもが個別的にふれあう時間を確保する。

4　成長の記録（アルバム）が整理され、成長の過程を振り返ることができるようにする。

答　2

⑦子どもの保健

子どもの**健康状態の把握**、**健康の維持・向上**、母子保健など、保健対策全般について学習します。子どもの**感染症対策**、予防接種、事例と疾患のつながり、疾患に対する適切な対応について多く出題され、虐待に関することや、災害への備え、安全管理についてもよく問われます。また、「**人口動態統計**」などの統計問題も出題されていますので、出生や死亡に関する数字や、子どもの事故についてのデータの推移についてもチェックが必要です。その他、「保育所における感染症対策ガイドライン」、各種ガイドラインなどについても押さえておきましょう。

✿ 例えば、こんな問題がでます

次の文は、乳児に起こりやすい事故に関する記述である。（　A　）～（　F　）にあてはまる語句の正しい組み合わせを一つ選びなさい。

(2023年前期　問5)

6か月ごろの子どもは、（　A　）をするため、ベッドに一人にしておくと（　B　）が起きる。8か月ごろになると（　C　）ができるが、まだ安定していないため（　D　）し、ものに当たって（　E　）へと発展する。（　F　）の事故としては、窒息のリスクに注意をする。

（組み合わせ）

	A	B	C	D	E	F
1	寝返り	打撲事故	ハイハイ	後ろに転倒	転落事故	移動中
2	ハイハイ	打撲事故	お座り	後ろに転倒	打撲事故	睡眠中
3	寝返り	転落事故	ハイハイ	前に転倒	打撲事故	睡眠中
4	寝返り	転落事故	お座り	後ろに転倒	打撲事故	睡眠中
5	ハイハイ	打撲事故	お座り	前に転倒	転落事故	移動中

答　4

⑧子どもの食と栄養

子どもの身体状況や栄養、**食育**など、食生活に関する事項を学ぶ科目です。「**日本人の食事摂取基準**」は、年齢区分ごとの必要量や推奨量、付加量などについてよく問われますし、**5つの栄養素**とその働きについても例年出題されています。「学校給食法」「食育基本法」など食に関する各種の法律、「授乳・離乳の支援ガイド」「**食事バランスガイド**」などについても押さえておきましょう。特に食育については、「保育所保育指針」でも推進されているため、要チェックです。「国民健康・栄養調査」などの統計データからもよく出題されています。障害のある子どもへの配慮事項などにも気をつけましょう。

例えば、こんな問題がでます

次のうち、「授乳・離乳の支援ガイド」（2019年：厚生労働省）に示されている離乳に関する記述として、適切な記述を○、不適切な記述を×とした場合の正しい組み合わせを一つ選びなさい。（2022年前期　問19）

A　離乳を開始したら、母乳や育児用ミルクは与えない。

B　生後7～8か月頃からは、舌でつぶせる固さのものを与える。

C　離乳完了期には、手づかみ食べにより、自分で食べる楽しみを増やしていく。

D　離乳が進むにつれて、卵は卵白から全卵に進めていく。

（組み合わせ）

	A	B	C	D
1	○	○	×	○
2	○	×	○	○
3	○	×	×	×
4	×	○	○	○
5	×	○	○	×

答　5

⑨保育実習理論

保育計画や生活指導、保育内容、自己評価など、保育の現場で欠かすことのできない専門的で具体的な知識を学びます。「**保育所保育指針**」や「**児童福祉施設の設備及び運営に関する基準**」についての問題など、出題傾向が似ているため、過去問でしっかりと内容を理解しておくことが合格への近道です。音楽、造形などの問題も出題されます。

音楽では、**専門用語**、和音、移調（いちょう）などが出題され、楽譜（がくふ）を読む知識も問われます。造形では、**色彩**（しきさい）や表現技法、造形活動にみられる子どもの発達過程について出題されています。言語の問題数は多くはありませんが、知識を実践に結びつけて理解できているかを問われるものも増えています。それぞれの出題傾向をよく把握（はあく）して、効率よく学習しましょう。

✿ 例えば、こんな問題がでます

次のうち、「保育所保育指針」第２章「保育の内容」２「１歳以上３歳未満児の保育に関わるねらい及び内容」エ「言葉」の内容に照らし、（　Ａ　）～（　Ｃ　）にあてはまる言葉の正しい組み合わせを一つ選びなさい。

（2024年前期　問15・一部改題）

・子どもは、（　Ａ　）な大人との関わりによって、自ら相手に呼びかけたり、承諾や拒否を表す片言や一語文を話したり、言葉で言い表せないことは指さしや（　Ｂ　）などで示したりして、親しい大人に自分の欲求や気持ちを伝えようとする。

・子どもは、保育所での集団生活を送る中で、様々な（　Ｃ　）に必要な言葉に出会う。

（組み合わせ）

	A	B	C
1	教示的	記号	遊び
2	応答的	身振り	遊び
3	教示的	身振り	生活
4	応答的	身振り	生活
5	応答的	記号	遊び

答　4

✿ 例えば、こんな問題がでます

次のリズム譜は、「ぞうさん」（作詞：まど・みちお、作曲：團伊玖磨）の歌いはじめの２小節である。続く２小節 A のリズムを次の１～５より一つ選びなさい。(2022 年前期　問 5)

答　5

✿ 例えば、こんな問題がでます

次のうち、でんぷん糊の説明として、適切な記述を選びなさい。

(2024 年前期　問 10・一部改題)

A　主に、紙同士を接着する時に使われる。
B　天然の凝固物であるカゼインでできている。
C　古来より、穀物などを用いて作られてきた。
D　水と混ぜると硬化し固着する。

答　A、C

⑩実技試験

実技試験では、「**音楽**に関する技術」「**造形**に関する技術」「**言語**に関する技術」のうち２つを受験の申し込み時に選びます。できれば筆記試験と並行して準備を進め、実技試験に進むことが決まったら集中的に練習して、万全の体制で臨みましょう。

✿ 音楽に関する技術

幼児に歌って聴かせることを想定して、２つの課題曲を**弾き歌い**します。楽器はピアノ、ギター、アコーディオンから選べますが、ピアノ以外の楽器は持参しなければなりません。子どもが歌を楽しめるように、歌って伴奏できることが大切です。課題曲は、2024（令和６）年は『夕焼け小焼け』『いるかはザンブラコ』、2023（令和５）年は『幸せなら手をたたこう』『やぎさんゆうびん』でした。

✿ 造形に関する技術

例年、「保育の一場面を**絵画**で表現する」というもので、保育士として必要な造形表現やそのための技術が求められています。実際の問題は当日発表されますが、2013（平成 25）年より、**事例**を読んでその場面を描く、という問題となっています。

19cm × 19cm の枠のなかに、条件を満たすように保育士と子ども２～４人と背景などを描き、色鉛筆で色をつけます。

✿ 言語に関する技術

お話を１つ選び、子どもに**話し聞かせる**ことを想定して行われます。基本的な声の出し方や表現上の技術、幼児に対する適切な話し方が評価されます。対象年齢に応じたお話のアレンジが必要です。

2024（令和６）年は『ももたろう』『おむすびころりん』『３びきのこぶた』『３びきのやぎのがらがらどん』の４つのお話からの選択でした。

Part2

科目ごと集中レッスン

①保育の心理学
②保育原理
③子ども家庭福祉
④社会福祉
⑤教育原理
⑥社会的養護
⑦子どもの保健
⑧子どもの食と栄養
⑨保育実習理論
⑩実技試験

保育の心理学

「保育の心理学」と聞いて、どのような学びを想像しますか。保育の場では、子どもの発達についての知識をもつことが重要です。なぜなら、保育における適切な援助は、子どもの発達の理解から始まるからです。

1 保育の心理学を学ぶ

1 子どもの発達とは？

「発達」という言葉を聞くと、身体が大きくなったり、言葉が話せるようになったりとプラスのイメージを想像するのではないでしょうか。しかし、人間は生涯変化し続けます。子どもから大人へと成長するにつれ、できることが増えていきますが、子どもの頃のようには走れなくなるなど、できなくなることもあります。発達とは「受精してから死に至るまでの**心身の変化の過程**」なのです。

保育は発達に関する知識をもとに、「**子どもの理解**」から始まり、「子どもの理解」に戻ります。保育の心理学の知識は、「子どもの理解」を深め、保育実践の進め方や方向性を示してくれます。子どもの発達の知識をもって、目の前の子どもと関わることで、子どもの個性がみえてくるのです。

◉子どもの発達と心理学

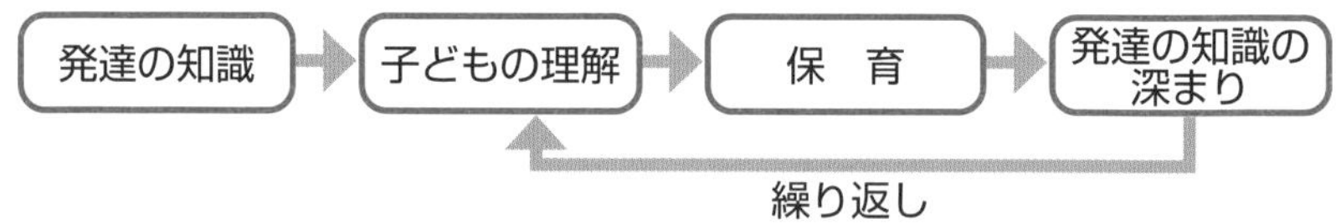

2 各時期の発達の特徴

「保育所保育指針」では、**乳児・1 歳以上 3 歳未満児・3 歳以上児**に分けて各年齢の**発達過程**を示しています。

「子どもの発達」に関する内容は、「保育所保育指針」第 2 章の各時期の「基本的事項」に示されています。また、各時期の保育のねらい及び内容を子どもの発達の側面からまとめて編成したものが「健康・人間関係・環境・言葉・表現」の 5 つの領域です。

小学校就学間近となる幼児期の終わりごろの具体的な姿としては「**幼児期の**

終わりまでに育ってほしい姿」が示されています。いずれにしても、一人ひとりの子どもの発達には「**個人差**」があることを考慮し、適切な援助が求められています。

◉保育所保育指針第２章に示された各時期の発達の特徴

各時期	発達の特徴
乳児	• 視覚、聴覚などの**感覚**や、座る、はう、歩くなどの**運動機能**が著しく発達する。 • 特定の大人との**情緒的なきずな**が形成される。
１歳以上 ３歳未満児	• 歩き始め、走る、跳ぶ等の**基本的運動機能**が発達する。 • 排せつの自立の**身体的機能**が整う。 • つまむ、めくるなどの指先の機能の発達により、**食事**、**着脱**なども援助により行えるようになる。 • 発声が明瞭になり、**語彙**も増加し、意思や**欲求**を表現できる。
３歳以上児	• 基本的な運動動作と**基本的生活習慣**がほぼ自立する。 • 理解する語彙数が増加し、**知的興味**や関心が高まる。 • 仲間との集団的な遊びや**協同的な活動**がみられる。

３ 振り返りの重要性と連携・協働

保育者は保育の振り返り（**省察**）により成長していく**反省的実践家**といわれています。集団の場である保育所では、発達を理解する際も、集団と子ども一人ひとりの育ちについて振り返ることが重要となります。振り返り、実践を繰り返し、子どもへの理解を深めていきます。

また、保育者は、**対話**し、**協働**しながら、子どもや保護者を理解し、支援していきます。**対話**とは、会話と違い、お互いのことばの意味や意図まで話し合おうとするものです。**協働**は、複数の人間や集団が、共通の目的のもとに協力して活動することをいいます。複数の保育者で１つのクラスをみることが多い保育所では、保育者同士の協働が欠かせません。そして、保育所内だけでなく、外部の専門機関とも連携・協働しながら、子どもと保護者を支えていくことが保育者には求められます。

4 発達はどう進むの？

人間の発達は、お母さんのお腹のなかにいる時から始まっています。そして、死に至るまで発達を続けます。

赤ちゃんはすぐには大人になりません。発達は一定の順序と方向性をもって進みます。そして、ある時期に大きな変化が観察されます。

このような変化に区分された段階を、発達段階といいます。また、それぞれの時期に習得（しゅうとく）することが必要な課題を**発達課題**と呼んでいます。

発達は階段をあがるように段階をふんで進みます。順序よく（**発達の順序性**）、逆行せずに（**発達の方向性**）、連続して進むので「**発達の連続性**」と呼んでいます。

◉発達段階と発達課題

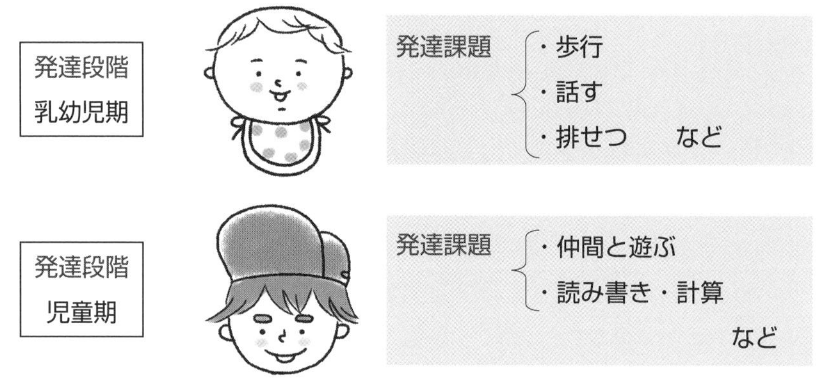

発達には「**獲得**（かくとく）（手に入れること）」と「**喪失**（そうしつ）（なくすこと）」があります。例えば、刺激に対して自動的に生じる運動である**新生児反射**（しんせいじはんしゃ）が消えると（**喪失**）、自分の意思で手足を動かせるようになっていきます（**獲得**）。このように人間は、**獲得**と**喪失**を繰り返しながら発達していきます。

5 発達はどう決まるの？

ゲゼルは、馬などが生まれてすぐに立つことができるように、発達は生まれつき決まっているという**遺伝**的要因（いでんてきよういん）（**遺伝説**）を重視しました。それに対して**ワトソン**は、遺伝的な要因よりも生まれてからの経験が発達を決めるという**環境**的要因（**環境説**）を重視しました。

しかし現在では、人間の発達は**遺伝**と**環境**の両方に影響されていると考えられています。シュテルンやジェンセンは、両方が関係しているという考えを示しました（輻輳説、相互作用説、環境閾値説）。

きをつけよう！

輻輳説	**遺伝**的要因＋**環境**的要因　→　発達
相互作用説	遺伝も環境も不可分で、**相互に影響**しあって作用する
環境閾値説	環境が一定の水準（**閾値**）を超えたときに**遺伝**的要因が現れる

ブロンフェンブレンナーは、子どもは、さまざまな人間関係を含めた環境と影響しあって育つものと考え、子どもと環境の相互作用について、子どもを取り巻く同心円で説明しています（**生態学的システム論**）。

子どもが直接関わる両親やきょうだい、保育園の保育者や友達などを**マイクロシステム**、子どもが直接関わる環境同士の関係である保育園と家庭、家庭と地域の関係などを**メゾシステム**、子どもに間接的に影響を与える親の職場関係、きょうだいの学校関係などを**エクソシステム**、そして、子どもの生活の背景にある社会環境や文化、地域性などを**マクロシステム**と呼んでいます。また、それぞれも相互に関係しあっていると考えます。

6　子どもと環境

ギブソンは、子どもの遊びは自身の身体を動かし環境に働きかけることで、環境にある意味合いを知りながら行為をするとしています。これを**アフォーダンス**と呼んでいます。「**環境を通して行う**」保育というように、子どもは環境との相互作用によって成長していきます。

7　発達過程に応じた援助

ヴィゴツキーは、子どもが一人で問題解決できることと、大人などに少し手助けしてもらえば解決できることがあるとしています。この２つの間を「**発達の最近接領域**」と呼んでいます。保育者の一人ひとりへの援助は、子どもの発達の可能性を広げることになります。

2 胎児期から幼児期の発達過程

1 発達の始まり

母親の妊娠から出生に至るまでの時期を**胎生期**といい、子宮内の赤ちゃんを**胎児**といいます。妊娠３か月目頃から赤ちゃんが生まれてくるまでの期間を**胎児期**といいます。出生から満 **28** 日未満を**新生児期**、その後の１歳もしくは１歳半までの時期を**乳児期**といいます。

人間の発達は、母親の胎内にいる誕生前から始まっています。**ポルトマン**は、人間の赤ちゃんは無能だという「**生理的早産説**」を唱えました。しかし、新生児の能力が解明され、胎児もお母さんのお腹のなかで生まれてからの練習をしていることが明らかになりました。

（注）児童福祉法では満１歳に満たない者を乳児としていますが、発達心理学（保育の心理学）では、１歳までという分類のほか、１歳半までの時期を乳児期とする分類もあります。１歳半までとするのは、その頃には、歩行、初語、離乳等の心身の発達がおおまかにはほぼ達成される時期だからです。

2 母体からの影響

母親にとって出産は人生の一大出来事であり、心身共に大きな変化を伴いますので、期待や嬉しさを感じる反面、不安や気分の落ち込みなども感じやすくなるといわれています。出産直後から数日にみられる気分の変調は**マタニティブルーズ**として知られていて、涙もろくなり、憂うつな気分になることがあります。これは一過性のものがほとんどであり、１～数週間でよくなるといわれていますが、中には**産後うつ**に移行するケースもあるので注意が必要です。

母親の健康状態は、母親が関わる新生児にも影響しますので、気分の変調が起きやすいこの時期には、母親の心理的安定を支える援助が重要です。

また、妊娠中の喫煙やアルコール摂取は、胎児に悪影響を及ぼすことが知られています。服薬についても、薬物は胎盤を通して胎児に影響を与えるため、妊娠中は注意が必要です。

3 原始反射

新生児の運動で代表的なものに**反射**があります。**反射**は、特定の刺激に対して自動的に起きる運動です。新生児にみられる反射を「**原始反射**」といいます。例えば、唇に触れたものを吸おうとする（**吸啜反射**）のも、原始反射です。

原始反射は、脳の発達とともに自然に消えていき、**随意運動**が現れます。「**随意運動**」とは、自分の意思でコントロールできる運動のことです。

4 赤ちゃんの優れたコミュニケーション能力

ファンツは、言葉を話さない赤ちゃんの能力を調べるために、**選好注視法**という方法で実験を行いました。その結果、生後数日の赤ちゃんでも、単純な図形より人の顔の図形を好むことがわかりました。目の焦点は授乳のときの距離と同じ 30cmくらいで、母親の声やにおいを区別できます。

また、生まれてすぐの頃から**自発的微笑**が出現します。ほほ笑んだようにみえますが、これは生理的なもので、喜びを表しているわけではありません。生理的微笑、新生児微笑などとも呼ばれます。

生後 3 か月頃には、人の顔を見て微笑します。これを**社会的微笑**といいます。母親は、喜んで受け止め、コミュニケーションをはかります。赤ちゃんは、誕生直後から優れたコミュニケーションの能力をもっているのです。

5 乳児期から幼児期の発達

乳児期とは生後 1 か月～ 1 歳もしくは 1 歳半、幼児期とはその後から 6 歳頃までとされています。この時期は身体の発達とともに運動の発達が目覚ましい時期です。運動の発達には、一定の方向性があり、①**頭部**から**尾部**へ、②身体の**中心部**から**周辺**へ、③**粗大**運動から**微細**運動へと発達していきます。

◉発達の方向性

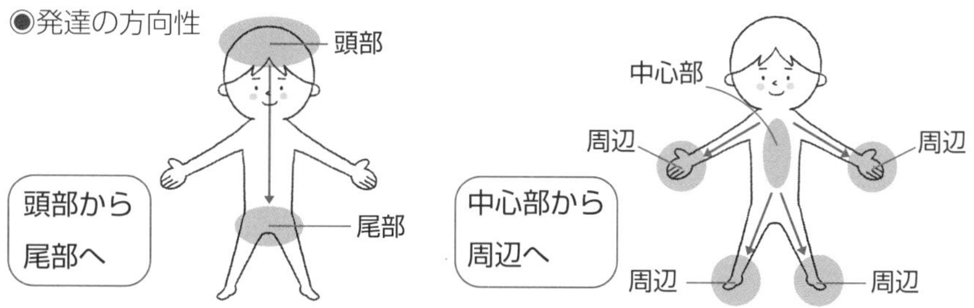

乳児は、ほぼ**1歳半**頃までに直立歩行と「ママ」などの1語文と呼ばれる言葉の使用が可能となります。乳児は、心身ともに養育者に依存した状態にみえますが、一方的に頼っているわけではありません。養育者は、乳児が言葉を話せないうちから、その表情や行動などを手がかりに、それらに呼応して情緒をなぞり応答します。このときの適切な応答を**エムディ**は**情緒応答性**と呼び、この現象を**スターン**は**情動調律**という言葉で説明しています。

1歳頃になると特定の対象に対して情緒的なきずなをもつようになります。**ボウルビィ**は、養育者である母親との間に形成される情緒的な結びつきを「**愛着（アタッチメント）**」と呼びました。この最初の人間関係を通して、乳児は他者に対する基本的信頼感を獲得します。ボウルビィは愛着の発達を4段階に分けています。

◉愛着の発達段階

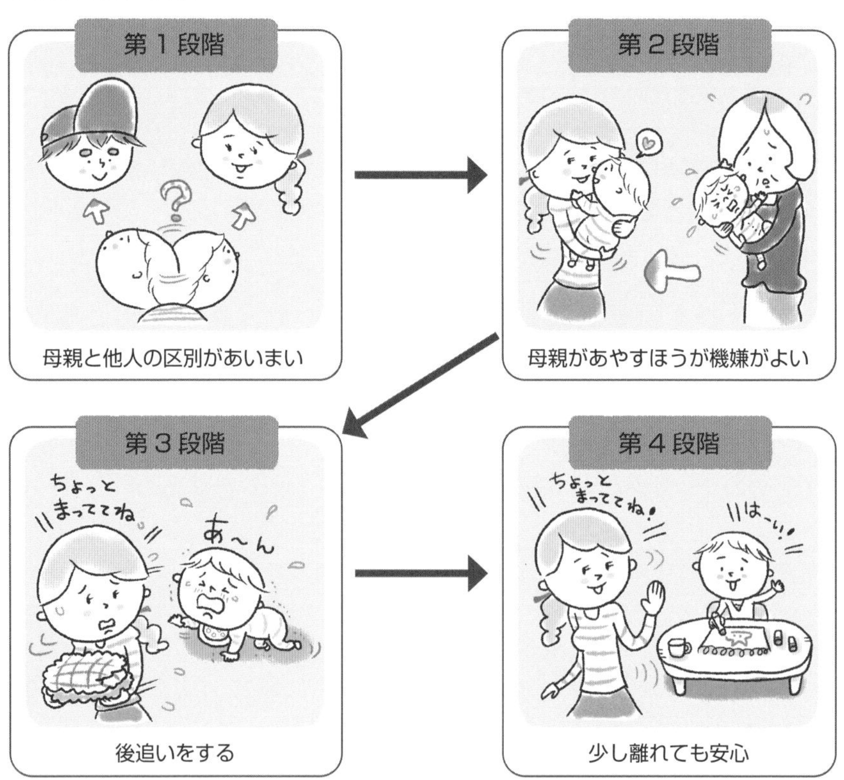

3 乳幼児の発達の特徴

1 認知と思考の発達

日常生活のなかで私たちは、自分にとって有益（ゆうえき）なものを選んで行動しています。対象について、判断したり解釈したりする人間の知的な働きを**認知**（にんち）といいます。

ピアジェは、子どもの認知の発達は**同化**（どうか）と**調節**（ちょうせつ）という、環境との相互作用によってなされると考え、その発達段階を４つに分けています。

Check! ピアジェによる認知発達段階

①感覚運動期　０～２歳頃

感覚を通して学ぶ

②前操作期　２～７､８歳頃

ごっこ遊びがみられる。
みかけでものごとを判断する

③具体的操作期
7､8～11､12歳頃

みかけの変化にまどわされずに判断できる

④形式的操作期
11､12～14､15歳頃

大人とほぼ同じような思考ができる

乳児は、見る、聞く、触るなどの感覚を使って、同じ行動を繰り返しながら（**循環反応**）、発達していきます。2 歳頃からは、目の前に見えないものをイメージ（**表象**）できる**象徴機能**が発達していきます。これにより、人形を赤ちゃんに見立てるといった**見立て遊び**や、簡単な**ごっこ遊び**がみられていきます。また、物に命や意識があるように考える（**アニミズム**）など、幼児心性と呼ばれる見方をします。

4 歳頃になると、物を概念化することができるようになります。描画では、見えないはずのプールのなかの足を描く（**知的リアリズム**）などがみられるようになります。

2　言葉の発達

子どもは 2 か月頃から機嫌のよいときに「アー、クー」のような発声（**クーイング**）をします。そして、4 か月頃になると「マ、マ」のような**喃語音**を出します。

子どもが言葉を獲得するためには、言葉を理解する力が必要です。8 ～ 9 か月頃になると、子どもと大人との間で 1 つの物を**共同注意**することから始まり、そこに言葉が織り込まれます（**三項関係**）。

このようなコミュニケーションが基礎となり、12 か月頃、子どもは初めての言葉を発します（初語）。その後、「わんわん」（犬がいた、犬が怖い）「ブーブー」（車があった、車のおもちゃ取って）などのさまざまな意味をもつ言葉を話すようになり、1 歳半頃になると、「ママ、来た」のように、2 つの単語による **2 語文**を話せるようになっていきます。

◉三項関係

2 歳頃には、扱える語彙の数が急速に増加し、語彙の爆発期がみられます（**語彙爆発**）。3 ～ 4 歳頃には、大人と同じような話し言葉の基礎ができあがります。

幼児期には、ひとり言、いわゆる「**外言**」があらわれ、やがて音声として出ない「**内言**」へ移行します。**内言**はその後の学童期には、自分をコントロールするために用いられるようになります（**メタ認知**）。

3 社会性の発達

赤ちゃんは、生後３か月頃になるとあやしてくれる人にほほ笑みます。３か月くらいではまだ､身近な人とそうでない人との見分けができないからです。その後､母親など特定の人にほほ笑むようになります。**人見知り**が始まるのは、８か月頃です。

２～３歳頃になると、**自己主張**が盛んになります。言葉で理由をつけて大人の関わりや提案を拒否する姿がみられます。これを**第１次反抗期**と呼びます。自信と誇りをもって生活していることの証といわれています。

おおむね４歳頃には相手の気持ちについて推測する能力が発達するとされています。この能力を「**こころの理論**」と呼んでいます。子どもは他者との感情に関わるやりとりにより社会的なスキルや知識を自分のものとして学んでいきます。

4 感情の分化

ブリッジスは、生後間もない時期の感情は未分化であり、初めにみられるのは漠然とした興奮であると考えました。その後、興奮から「快」と「不快」が分かれ、「快」の感情よりも「不快」の感情の方が分化は早く、生後半年の間に「怒り」「嫌悪」「おそれ」が感情として分化するとしました。

◉ブリッジスの感情の発達

4　児童期（学童期）から老年期の発達

1　幼児期から児童期（学童期）の発達

児童期（学童期）とは、一般的に、小学校入学から卒業にかけての時期（6～12歳頃）をいいます。

小学校という新たな環境への適応は、子どもの発達に大きな影響を及ぼします。個人の発達にばらつきがあるため、学校生活になじめない子どもがいるという問題が発生することがあります。これを「**小1プロブレム**」と呼んでいます。

（1）客観的に自分をみられるようになる

児童期（学童期）の子どもは**ピアジェ**のいう「**具体的操作期**」にあたります。ものごとを論理的に考え、これまでの外見や見かけを超えた理解が可能になります。「他者にはどのようにみえているか」といった他者の視点に立って考える力が発達します（**脱中心化**）。

他者の視点に立って自分をながめ、客観的に自分を理解できるようになるので自分のよいところだけでなく、否定的な面も言えるようになります。

人間の生涯における人生周期（**ライフサイクル**）を8つの発達段階に分けたエリクソンは、児童期（学童期）に直面する課題として**勤勉性**対**劣等感**の克服をあげています。自分を知り、受け入れるといった問題に直面しやすい時期であるといえます。

（2）児童期（学童期）の子どもの社会性

小学校高学年になると子どもたちは特定の仲間同士で多くの時間を過ごすようになります。こうした仲間集団を**ギャンググループ**と呼びます。中学生頃の女の子に特徴的な集団を**チャムグループ**といいます。同じ趣味や関心などで一体感を得ます。高校生以降では、**ピアグループ**といった集団で、価値観や理想の議論により違いを認め合う傾向がみられます。

2 児童期（学童期）から青年期の発達

青年期は一般的に子どもから大人への移行期とされています。子どもから大人への準備段階で、身体も大人の身体へ変化していきます。女子は乳房がふくらむ、月経の始まり、男子は、声変わりなど「**第二次性徴**」が生じます。

また、この時期には、「自分とは何か」という問いかけや、自分の人生についての選択を行わなくてはならない時期になります。自分自身の生き方をみつめなおし、これからの人生を考える貴重な時期です。こうした青年期の課題をエリクソンは、**アイデンティティ**（**自我同一性**）の形成と説明しました。進路や就職といった人生に関わる重要な時期ですが、本人自身の問題や社会的な背景から、アイデンティティが確立できずに混乱状態に陥ることも少なくありません（**アイデンティティの拡散**）。

◉モラトリアム（アイデンティティを模索する時期）の時代

悩むことで自分自身について考えることを繰り返します。このアイデンティティを確立するために与えられた時期を「**モラトリアム**」と呼んでいます。

3 成人期から老年期の発達

自分の選んだ職業や、他人との親密な関係性を築き、支え合うパートナーを得た成人期は、仕事や活動に本格的に力を発揮してライフスタイルを確立していきます。また、老年期には、退職や身体機能の低下、身近な人との死別など、さまざまな**喪失体験**に立ち向かう時期となります。

このように人間は、生命の誕生から死に至るまでさまざまな体験を基に発達し続けます。

5 子どもの発達と保育の実践

1 基本的生活習慣の自立

乳幼児の生活は、一人ひとりが安心して生活できることや**基本的生活習慣の自立**を通して「できた」という自信をつけていくことを支えていきます。

基本的生活習慣とは、食事、睡眠、排せつ、清潔、衣服の着脱などのことを指します。生活場面ごとの手順（**スクリプト**）を理解することで、生活リズムと活動への見通しをもつことができるようになります。

発達には、重要な節（質的転換期）があるといわれています。年齢に伴い少しずつできるようになることと、ある時期に**急激な変化**がみられることがあります。例えば、１歳半頃は、歩行や手指の操作での道具の使用・言葉を話すなどの能力が急激に発達します。この時期には子どもの意欲（いよく）を大切にした保育が必要です。

2 気質をふまえた保育

新しい場面が苦手、人見知りが激しいなど子どもには個人の特性があります。このような生まれつきの個人の特性を**気質**といいます。**トマスとチェス**は、子どもの気質を「扱いやすい子」「扱いにくい子」「エンジンがかかりにくい子」の３つのタイプに分類しました。「扱いにくい気質の子ども」は**育児困難**を招きやすいといわれています。

子どもの気質によっては、養育者の育児にも影響を及ぼすこともあります。また、親の養育態度によっても、子どもの性格に一定の傾向がみられます。保育者は、子どもの個人差や発達過程に加えて、子どもの気質を理解した上での援助が必要になります。

3 生活や遊びを通した学び

幼児は、遊びのなかで自分たちの生活をつくり出していきます。遊びが充実してくると、遊んでいるものを介して他の子どもとも関わりをもつようになります。**パーテン**は、仲間との遊びの形態の発達過程に着目して、幼児期の遊びの発達的変化を示しました。子どもは、仲間と遊ぶことを通して社会の一員となっていきます。

◉パーテンの遊びの分類

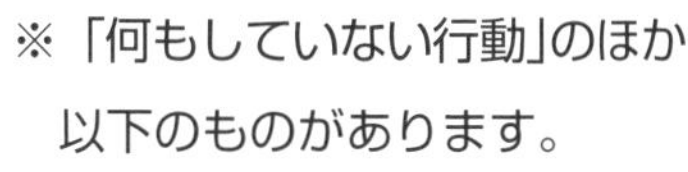

※「何もしていない行動」のほか、以下のものがあります。

一人遊び：子どもが一人で行う

傍観：遊びには参加せず、仲間の様子を眺めたり、口出ししたりする

平行遊び：他の子どものそばで遊び、お互いに交渉しない

連合遊び：他の子どもと同じ活動に関わる

協同遊び：同じ目的で、他の子どもと協力したり、役割分担したりする

6 子ども家庭支援と子ども理解

1 子育て支援

保育所の子育て支援は、保育所を利用している保護者に対する子育て支援と、**地域の保護者**に対する子育て支援の両方が求められています。保護者を支援していく際、子育て家庭の現状をふまえておくことは重要です。

2 家族・家庭の多様化と現状

近年、社会状況などの変化に伴って、家族・家庭の形態やあり方が**多様化**しています。また、世帯構造でみると、**単独世帯**が増加傾向で推移しています。これには、**晩婚化**や**非婚化**なども関係しているといわれます。世帯の規模は**縮小**し、世帯人員数も**減少**傾向がみられます。このような中で、**出生率の低下**、**少子化**が継続した課題となっています。

3 ライフコースと仕事・子育て

多様な生き方や価値観が存在する現代においては、**ライフコース**という概念が注目されています。ライフコースとは、**個人がたどる人生の道筋**のことです。似た概念にライフサイクルがありますが、これは皆が共通にたどる人生の道筋のことをいいます。子育てや働き方を含め、多様なライフコースがあることを保育者はふまえ、各家庭を支援していくことが大切です。

4 特別な配慮を要する家庭への支援

貧困家庭、ひとり親家庭、外国籍家庭、児童虐待への対応等、保育者は特別な配慮を要する家庭への支援も求められます。保護者に対しては**傾聴**、**共感**、**受容**の態度が必要であり、**否定**や**強制的**な言動は避けなければなりません。

5 子ども理解とアセスメント

保育所では、さまざまな育ちの背景をもった子どもたちが生活しています。障害のある子ども、行動上の問題をもつ子ども、**虐待**が疑われる子どもなど、きめこまかな援助や家族への支援が求められています。

子どもの発達などの状態を評価・査定することを**アセスメント**といいます。

6 観察法

発達理論や仮説（かせつ）を基に、子どもの行動を観察することで、子どもの発達や心的機能を評価することができます。

（1）自然的観察法

最（もっと）も基本的な観察方法であり、観察対象に人為的な統制を加えず、**ありのままの状態**の中で観察し、特徴を記述するものです。

（2）実験的観察法

一般に「**実験**」と呼ばれるもので、仮説を検証するために用いられます。日常において起こりにくい場面や状況などは、**人工的に状況を設定**し、その中での観察対象（**被験者**）の反応を観察します。

例えば、親子間の愛着の質を調べるための実験法として、**エインズワース**が開発したのが**ストレンジ・シチュエーション法**です。この実験法では、１歳前後の乳幼児を対象に、見知らぬ他人との対面、母親との分離（ぶんり）と再会といった、主に３つの場面を設定し、そこでの子どもの反応の違いを観察します。

7 面接法

面接法は、被験者と**直接対面**し、主に言語的なコミュニケーションを通して発達を評価したり、行動の変化を導き、気付きを与えたりするものです。目的によって、情報収集のための**インタビュー**と、心理的援助のための**カウンセリング**に分類されます。児童が対象の場合、同じ部屋で遊びながら、子どもの内面を理解していく**遊戯療法**（ゆうぎりょうほう）が代表的ですが、この場合、発達の評価と心理的援助の両方を兼ねています。

8 発達・知能を検査で理解する

発達検査や知能検査は、それぞれの年齢ごとの課題などから構成され、どの程度、課題ができたかによって、**発達指数**（DQ）や**知能指数**（IQ）が決まります。生活年齢とちょうど同じ問題のレベルまでできれば、その子のDQやIQは100となります。代表的な発達検査として遠城寺式・乳幼児分析的発達検査などが、代表的な知能検査としてウェクスラー式知能検査などがあります。

9　発達障害

脳やからだの一部の問題により、心身の発達に障害がみられている状態を総称して**発達障害**（**神経発達症**）といいます。**自閉スペクトラム症**、**注意欠如多動症**、**限局性学習症**、**知的発達症**などがあげられます。それぞれの特性に応じた支援を行うことで、保育現場への適応がはかられています。

◉主な発達障害（神経発達症）とその特徴

自閉スペクトラム症	特定物への強い**こだわり**、**反復的**行動、他者とのコミュニケーションに困難が生じるなど。
注意欠如多動症	不注意、**多動**性、衝動性など。
限局性学習症	知的には正常であるが、**読字**、書字、**計算**など（少なくとも１つ）に困難が生じるなど。
知的発達症 （知的能力障害）	**知的機能**の遅れと生活適応機能の限定がみられるなど。

10　子どものこころの健康に関わる問題

指しゃぶり、爪噛み、性器いじり等、子どもの癖が気になる場合があります。癖の中には心理的な問題（**神経性習癖**）がある場合もあります。

睡眠障害としては、睡眠途中で覚醒し、怖がり叫ぶ症状である**睡眠時驚愕症**（**夜驚症**）、排せつ障害としては、おもらしをしてしまう**夜尿症**、**遺尿症**などがあげられます。

突発的で、急に反復される動きや発声である**チック**、発語が円滑にいかない**吃音**、家庭などでは話せるものの、保育所などの特定場面では話せない**場面緘黙**（**選択性緘黙**）なども、子どもの時期にみられるこころの問題です。

また、災害や虐待などで、子どもが心的外傷（**トラウマ**）を負ってしまうことがあります。

心的外傷後ストレス症（PTSD）は、災害や虐待などにより、子ども自身や身近な人の、生命や身体の安全が脅かされる体験（心的外傷・トラウマ）が原因として起こるものです。眠れなくなるなどの**過覚醒**、被害を思い出させるような場所等を避ける**回避**、被害体験を突然思い出してしまうなどの**再体験**などが主な症状です。

7 心理学者と子どもの発達

1 エリクソンのライフサイクル

エリクソンは、心理・社会的発達段階理論を提唱した発達心理学者で、それぞれの発達段階における**発達課題**と心理・社会的危機を示しました。下の表にある心理・社会的危機に示された右側を乗り越えることで、左側の強さを手に入れることができるとしています。例えば、乳児期の発達課題は、「**基本的信頼感**」の獲得です。乳児は泣くことで養育者に不快な状態を訴えます。その状態が続くと、不信の心をため込み、発達に歪(ゆが)みが生じてしまいますが、不快な状態を取り除いてもらえれば、「**信頼**」を獲得することができます。

思春期・青年期の発達課題は、「**アイデンティティ**」の確立です。「自分は何者なのか」という疑問に対して答えようとする心の動きがあります。理想的な自分（理想自己）と、あるがままの自分（現実自己）とのギャップに悩むこともあります。

Check!

エリクソンのライフサイクル

発達段階	発達課題	心理・社会的危機
乳児期	基本的信頼感（希望）	**信頼** vs **不信**
幼児期前期	自律性（意志）	**自律** vs **恥・疑惑**
幼児期後期	自主性（目的）	**自主性** vs **罪悪感**
学童期	勤勉性（能力）	**勤勉性** vs **劣等感**
思春期・青年期	アイデンティティ（忠誠）	**自我同一性** vs **自我同一性拡散**
成人期前期	親密性（愛）	**親密性** vs **孤立**
成人期	生殖性（世話）	**生殖性** vs **停滞**
老年期	統合（知恵）	**統合** vs **絶望**

2 経験で行動が変化する

パブロフは、犬に「えさを与える前にベルの音を鳴らす」という実験を繰り返しました。これにより、犬は「ベルが鳴るとえさがもらえる」という学習をし、ベルが鳴るだけでだ液が出るようになりました。これを**古典的条件づけ**と呼びます。

また**スキナー**は、レバーを下げるとえさが出る「スキナー箱」を用いて、ねずみで実験を行いました。この実験では、ねずみが「偶然レバーに触れたらえさが出た」ことが何度か繰り返されたことにより、レバーを押すとえさが出ることを学習し、自分からレバーを押すようになりました。また、レバーを押してもえさが出ないようになるとレバーを押すことがなくなりました。このように、ある行動によって結果が得られたことで、その後の行動が変化することを、**オペラント条件づけ**と呼びます。

このような考え方は**学習理論**と呼ばれます。保育の場では、学習理論が応用され、子どもの行動問題に対して**行動分析**が行われます。この分析により、新しい行動の学習と適切な行動を発見することができます。

◉古典的条件づけ

①えさをみるとだ液が出る
⇒②ベルが鳴るとえさがもらえる
⇒③ベルが鳴るだけでだ液が出る
（条件反射）

◉オペラント条件づけ

①レバーに触れたらえさが出た
⇒レバーを押すようになる
②レバーに触れてもえさが出なくなる
⇒レバーに触れなくなる

3 友達を意識する

友達を意識するのはいつ頃でしょうか。幼児期の2歳後半頃から同年齢の子どもたちとやりとりが始まります。そこには友達同士でぶつかり合うこともあります。このような**対人葛藤**（たいじんかっとう）によって自分を調整する力が育っていきます。

役割取得（他者の立場を理解する）能力の発達段階を示した**セルマン**は、幼児期の終わり頃までは自分と他者の視点の区別は難しいとしています。子どもは、遊びなどのなかで**自己主張**と**自己抑制**を繰り返し、**自己調整能力**を発達させていきながら、だんだんと他者の立場を理解できるようになっていきます。

4 ガードナーの「多重知能」

子どもは、得意な活動もあれば苦手な活動もあるでしょう。苦手な活動ばかりではなく、子どもの好きな活動に取り組むことで、得意な種類の知能を伸ばすことができます。そのようなときには**ガードナー**の「**多重知能**」が参考になります。

◉多重知能とは

音楽的知能
音の認識・識別・表現をする知能

個人間（対人的）知能
他者の感情や欲求を理解する知能

身体運動的知能
考えや気持ちを身体で表現する知能

論理数学的知能
数字やものごとのパターンの認識をする知能

言語的知能
話をする・文字を書く・記憶をする知能

博物的知能
自然現象など身の回りの事象を認識する知能

個人内（内省的）知能
自分について理解する知能

空間的知能
色・線・形などの識別をする知能

5 知的スキルと社会情動的スキル

乳幼児期においては、獲得した知識を発揮する力だけではなく、自尊心（じそんしん）や自己制御、忍耐力といった**社会情動的**スキルや**非認知能力**を身につけることの重要性が高まっています。この能力を乳幼児期に身につけることが、大人になってからの生活に大きな差を生むことがわかってきました。

保育者は、子どもの興味・関心を理解し、対話を通して協同的な活動の展開が求められます。そのためには、保育者には計画的な研修の機会が必要です。保育所では、保育者が必要な力を身につけられるよう、キャリアパスを明確にすることが求められています。

ここでチャレンジ！

一問一答で確認してみましょう。○×を答えてね。

問 1 check! □□

ブロンフェンブレンナーは、子どもを取り巻く環境（かんきょう）を、同化と調節の概念（がいねん）から説明した。

問 2 check! □□

アメリカの心理学者であるギブソンは、環境との相互作用において、環境の側が行為するための手がかりを発していると提唱した。

問 3 check! □□

愛着（あいちゃく）とは、特定の養育者との間に形成される情緒的なきずなであり、エインズワースは愛着の発達段階を 4 段階に分けた。

問 4 check! □□

心理・社会的発達段階理論を提唱したエリクソンは、乳児期の発達課題を基本的信頼感の獲得とした。

問 5 check! □□

ピアジェの認知発達段階において、0 ～ 2 歳頃は前操作期と呼ばれる。

問 6 check! □□

パーテンの遊びの分類において、同じ目的で、他の子どもと協力や役割分担をする遊びを連合（れんごう）遊びという。

問 7 check! □□

入園したばかりの 3 歳児の A 君（男児）は、爪を噛む行動がみられた。すぐに、医療機関で薬を処方してもらうように、保護者に伝えた。

答1 ×

ブロンフェンブレンナーは、子どもと環境要因との相互作用を、子どもを同心円状に取り巻く生態学的システム論から説明した。

答2 ○

ギブソンは環境自体がさまざまな意味を提供しているというアフォーダンス理論を提唱した。

答3 ×

ボウルビィが愛着(アタッチメント)の発達を４段階に分けた。エインズワースは、ストレンジ・シチュエーション法の実験結果により、愛着の質について分類をした。

答4 ○

エリクソンは、各発達段階における発達課題と心理・社会的危機を示し、乳児期の発達課題を基本的信頼感の獲得とした。

答5 ×

０～２歳頃は、感覚運動期である。ピアジェは子どもの認知発達を、感覚運動期、前操作期、具体的操作期、形式的操作期といった４つの段階に分けて示した。

答6 ×

同じ目的で、他の子どもと協力や役割分担をする遊びは協同遊び(きょうどう)である。パーテンは、仲間との遊びの形態に着目して、幼児期の遊びの発達的変化を示した。

答7 ×

保育者が気になる行動を決め付けるのではなく、保護者との情報交換が必要である。保護者の気持ちに共感し、意向(いこう)を聞きながら、同意を得た上で、専門機関や専門職と連携(れんけい)する必要がある。

保育原理

保育士は、保育の基本的な考え方や目標、どんな保育をするかなどを理解した上で、日々の保育を行う必要があります。保育の本質ともいえる「保育原理」について学びましょう。

1 「保育」と「保育所」とは？

1 保育とは？

保育所（園）における「保育」とは、0 歳から小学校就学前までの乳児や幼児（以下、「子ども」）が健康で安全・安心に過ごせるよう「**養護**」するとともに、心身が健全に成長するよう「**教育**」をすることをさし、「**養護**」と「**教育**」が一体となった概念です。朝、保育所に登園してきた子どもと笑顔であいさつを交わし、スキンシップをとりながら受け入れをするのは、「**養護**」的な関わりです。靴のはき替え方や、靴箱の位置をていねいに伝えながら、保育所での生活に必要な行動ができるようにするのは、「**教育**」的な関わりです。

そして、保育所保育は、保育士が子どもを一人の人格ある人として尊重し、生命を守り、情緒の安定を図りつつ、子どもが自ら環境に関わり、心動かされるような豊かな体験を積み重ねながら心も体も成長していけるよう**養護と教育を一体的**に行うことを特徴としています（58 ページ参照）。

2 保育所とは？

保育所は、**児童福祉法**第 39 条に基づいて、「**保育を必要とする**」子どもの保育を行う**児童福祉施設**であり、入所する**子どもの最善の利益**を考慮し、その福祉を積極的に増進することにふさわしい場であることが、**保育所保育指針**に示されています。「**保育を必要とする**」とは、例えば、ある子どもの保護者が仕事についていて、子どもを預ける親族がいない場合などはこれに該当します。

条文 check!

児童福祉法

第 39 条 1 項　保育所は、保育を必要とする乳児・幼児を日々保護者の下から通わせて保育を行うことを目的とする施設（利用定員が 20 人以上であるものに限り、幼保連携型認定こども園* を除く。）とする。

* 満 3 歳以上の子どもに対する教育（幼稚園機能）と、保育を必要とする子どもに対する保育（保育所機能）を一体的に行う施設

Check! 「保育を必要とする」主な状況

①**就労**（基本的にすべての就労に対応）
②妊娠、出産
③保護者の疾病、障害
④同居または長期入院している親族の介護・看護など
⑤就学（職業訓練校などにおける職業訓練を含む）

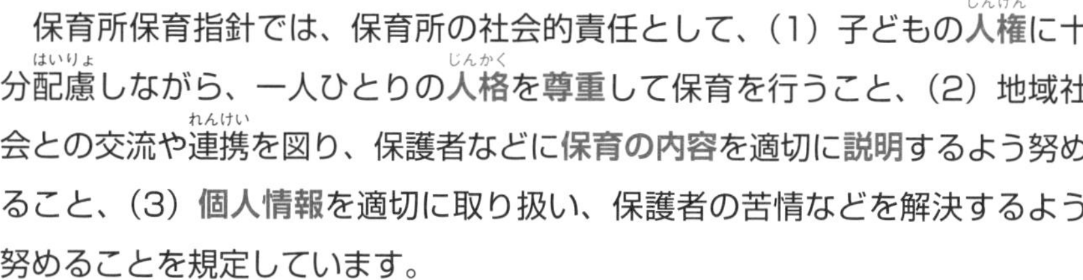

保育所保育指針では、保育所の社会的責任として、（1）子どもの**人権**に十分配慮しながら、一人ひとりの**人格**を**尊重**して保育を行うこと、（2）地域社会との交流や連携を図り、保護者などに**保育の内容**を適切に**説明**するよう努めること、（3）**個人情報**を適切に取り扱い、保護者の苦情などを解決するよう努めることを規定しています。

2 「保育所保育指針」を理解しよう

1 保育所保育指針の位置づけ

保育所は保護者に代わって子どもを保育するにあたり、その内容については、**内閣総理大臣**が定める指針に従うということが「児童福祉施設の設備及び運営に関する基準」第35条で定められています。それを具体的に定めたものが**保育所保育指針**です。

2 保育所保育指針の改定の経過

保育所保育指針は、1965（昭和40）年に保育所保育のガイドラインとして制定され、その後、1990（平成2）年、2000（平成12）年、2008（平成20）年、2017（平成29）年と4回の改定が行われました。2008（平成20）年の改定では厚生労働大臣**告示**となり、**法的な拘束力**をもつようになりました。保育所保育指針という共通の枠組みで保育を行うことにより、全国の保育所の保育水準は一定に保たれています。

3 現行の保育所保育指針の特徴

現行の「保育所保育指針」は2017（平成29）年に改定され、2018（平成30）年4月1日に施行されました。各保育所の**自主性**を尊重し、保育の質を向上させるための創意工夫や取り組みを促すため、保育所保育指針では保育の考え方やねらい、内容といった保育の実施に関わることと、運営に関することの基本的なものだけが示されています。各園は、保育所保育指針を踏まえるとともに、それぞれの実情に合わせて**創意工夫**を図りながら保育をするよう求められています。

また、共働き世帯の増加や児童虐待問題など**子育て家庭を取り巻く環境の変化**と、0～2歳児の利用が増えているという**保育所の利用状況の変化**をふまえた内容となっています。さらに、幼児教育を行う施設として共有すべき事項として「**育みたい資質・能力**」や「**幼児期の終わりまでに育ってほしい姿**」が示され、幼稚園や幼保連携型認定こども園と同じ方向性で保育をしていくことになっています。

3 「保育士」を理解しよう

1 保育士とは？

保育士資格は、2001(平成 13)年改正の児童福祉法が施行された 2003(平成 15) 年より、国家資格となりました。これにより、保育士でない者は、「保育士」という名称を使うことができなくなりました（**名称独占資格**)。

2 保育士の役割と資質の向上

現代社会においては、子どもや子育てに関する社会の状況は厳しくなってきており、保育をめぐる状況も大きく変化してきています。他方で、さまざまな研究の成果から、乳幼児期の人との関わりや体験のあり方が、その後長期にわたって子どもの成長に影響を及ぼすことがわかってきています。

こうした背景を受けて、保育士には、専門的な立場から子どもを保育したり、入所している子どもの**保護者**に対する**支援**や、**地域**における**子育て支援**をしたりすることが求められています。そのために、常に**専門性**の維持・向上に努め、**倫理観**や**人間性**を高めるなど、保育士としての**資質**の**向上**も求められています。

3 保護者に対する支援と地域における子育て支援

保育所に入所している子どもの保護者に対する支援は、**日常の保育と一体的**に行われます。例えば、連絡帳や送迎時の会話などの機会に家庭での様子を聞いたり、保育所での様子や保育の意図などを伝えたりすることで、保護者との信頼関係を図ります。育児相談に応じることもありますが、その際には、常に**子どもの最善の利益**を考慮する必要があります。また、その内容に関しては、**守秘義務**が課せられます。しかし、**虐待**が疑われる場合は例外で、速やかに市町村か**児童相談所**に通告しなければなりません。

地域の子育て家庭に対する支援は、職員の体制や地域の実情などを踏まえながら、保育に支障がない範囲において行います。地域のさまざまな資源と**連携**しながら、地域の子育て力の向上に貢献することも保育所の役割となっています。現代社会では、子育て家庭が孤立しがちな状況にあるため、保育所が身近な存在となるよう期待されるようになってきています。

4 子どもの最善の利益

1 子どもの権利に関する条約と子どもの最善の利益

「子どもの最善の利益」は、1989（平成元）年に国際連合が採択した「**児童の権利に関する条約**（通称「**子どもの権利条約**」）」第３条に定められており、子どもの権利を象徴する言葉として世界中に広く浸透しています。そして日本では 1994（平成 6）年に批准しています。2016（平成 28）年の児童福祉法改正では、子どもを権利の主体として位置付ける児童福祉の理念が明確化されました。これを背景に、「子どもの最善の利益」は、2018（平成 30）年に施行された現行保育所保育指針の根幹となる理念となっています。子どもの保育や保護者支援において、大人の利益（都合）を優先することで、**子どもの人権**が侵害されることがないように、「子どもの最善の利益」を第一に考えて保育をすることが求められています。

条文 check!

児童の権利に関する条約

第３条１項　児童に関するすべての措置をとるに当たっては、公的若しくは私的な社会福祉施設、（中略）のいずれによって行われるものであっても、児童の最善の利益が主として考慮されるものとする。

2 こどもまんなか社会とこども家庭庁

日本が「児童の権利に関する条約」に批准してから 30 年経ちますが、子どもへの虐待や置き去り、不適切保育など、子どもの権利が侵害されているという事例が多く見られます。

そこで、2023（令和 5）年４月、子どもの最善の利益を第一に考え、すべてのこども・若者が生涯にわたる人格形成の基礎を築き、自立した個人として健やかに成長することができ、身体的・精神的・社会的に将来にわたって幸せな状態（ウェルビーイング）で生活を送ることができるような「**こどもまんなか社会**」の実現に向けて、「**こども家庭庁**」がスタートしました。これにより、保育所の管轄が厚生労働省から**こども家庭庁**に移行しました。

3　こども基本法とこども大綱

2023（令和５）年４月、日本国憲法及び**児童の権利に関する条約**の精神にのっとり、「**こども基本法**」が施行されました。これには、「**こどもまんなか社会**」の実現に向けての理念や国・自治体の取り組みの基本が定められています。そして、こどもや若者の健やかな成長のための支援や、結婚・妊娠・出産・子育ての支援などを「**こども施策**」と定義し、これに取り組むための６つの理念が示されています。また、必要なサポートが年齢によって途切れないよう、心身の発達の過程にある人を「こども」としています。

Check!

「こども施策」の６つの理念

1　すべてのこどもは大切にされ、**基本的な人権**が守られ、**差別**されないこと。

2　すべてのこどもは、大事に育てられ、**生活**が守られ、**愛され**、**保護される**権利が守られ、平等に**教育**を受けられること。

3　年齢や発達の程度により、自分に直接関係することに**意見**を言えたり、社会のさまざまな活動に**参加**できること。

4　すべてのこどもは年齢や発達の程度に応じて、意見が**尊重**され、こどもの**今**と**これから**にとって最もよいことが優先して考えられること。

5　子育ては家庭を基本としながら、そのサポートが十分に行われ、家庭で育つことが難しいこどもも、**家庭と同様**の環境が確保されること。

6　家庭や子育てに夢を持ち、**喜び**を感じられる社会をつくること。

さらに同年12月には、こども施策を総合的に進めるために、今後５年程度の基本的な方針や重要事項を決めた「**こども大綱**」が閣議決定されました。これは、従来の「少子化社会対策大綱」、「子供・若者育成支援推進大綱」及び「子供の貧困対策に関する大綱」を一つにしたもので、「こどもまんなか社会」の実現のために、すべてのこどもは基本的人権が保障されることや、こどもや若者の意見を聴きながら進めていくことなどが示されています。

5 保育の基本とは？

1 保育所の特性

保育所の特性はどんなところにあるのでしょうか。保育所保育指針では、保育所の特性を、「その目的を達成するために、保育に関する専門性を有する職員が、家庭との緊密な連携の下に、子どもの状況や発達過程をふまえ、保育所における**環境**を通して、**養護**及び**教育**を一体的に行う」と示しています。そのなかでも、特に重要な２つの特性についてみてみましょう。

ココは覚える！ 保育所の特性とは？

①**専門性**を有する職員（保育士、調理員、栄養士、看護師等）による保育、②家庭との緊密な**連携**、③子どもの状況や**発達過程**をふまえた保育、④**環境**を通して行う保育、⑤**養護と教育の一体性**

保育所保育指針に示されている、保育の基本原則です。

2 養護と教育の一体性

保育所の特性として、第一にあげられるのは、「**養護と教育を一体的**」に行うということです。生活の中での「安心」や「安全」といった視点が、保育の中での「養護」といえます。つまり、保育における「**養護**」とは、子どもの**生命の保持**と**情緒の安定**を図るために保育士が行う援助や関わりを指します。保育では、遊びや生活を通してさまざまな経験をしたり、友達などとの関わりを通して人間関係を育んだりすることを「教育」ととらえます。「**教育**」とは、子どもが健やかに成長し、その活動がより豊かに展開されるための**発達の援助**のことです。

子どもは、自分をいつでも温かく受け止めてくれる保育士との信頼関係を基盤に、自ら人や物などの周囲の**環境**に働きかけていきます。安心して人や物との関わりを深めていきながら、興味や関心を広げ、さまざまな遊びや生活体験を通して、新たな資質や能力を獲得していきます。

3 環境を通して行う保育

保育所における保育は、**環境**を通して行われます。保育所保育指針では保育の環境として、①保育士や子どもなどの**人的環境**、②施設や遊具などの**物的環境**、③**自然や社会の事象**、という３つを示しています。これらが相互に関連し合いながら、保育の環境がつくり出されていきます。このような環境に、子どもが自ら働きかけていくことを重視しています。

保育士は、子どもの生活が豊かなものとなるように、子ども一人ひとりの状況や発達過程をふまえて、**計画的に環境を構成**していきます。そして、子どもが環境に関わる様子をみながら、子どもの実態により適切で、**応答性**のある環境に再構成していくことが重要です。

環境を構成する際に気をつけることは？

次のようなことに気をつけます。

①子どもが**自発的**に活動し、さまざまな**経験**を積むことができる環境

②子どもが**健康**で、**安心・安全**に過ごすことができる環境

③子どもがほっと**くつろぐ**ことができるとともに、いきいきと**活動**できる環境

④子どもが**周囲の人**と関わることができる環境

保育士や、お友達などの、
「人」も環境の１つなんだね！

6 子どもの発達と保育

1 発達過程に応じた保育

乳幼児期は、心身の発育・発達が著しく、**人格の基礎**が形成されていく重要な時期です。また、**個人差が大きい時期**でもあります。そのため、ある時点で何かが「できる・できない」といった画一的な発達のとらえ方ではなく、一人ひとりの健やかな育ちを保障することが保育の基本に据えられています。

保育所保育指針では、子どもの発達過程を３段階に分けて保育のねらいと内容を示しています。保育士は、子どもの発達の特性とその道筋（発達過程）を十分に理解した上で、**計画的**に環境を構成し、適切な援助をしていくことが求められます。子どもの**年齢**や**発達**に応じ、きめ細かな保育のねらいと内容に沿った保育を展開していくことが大切です。

2 乳児期の保育の特性

乳児期の子どもには、心身両面において、短期間に**著しい発育や発達**がみられます。視覚・聴覚などの感覚や、座る、はう、歩くなどの運動機能も著しく発達し、特定の大人との**応答的**な関わりを通じて、**情緒的なきずな**も形成されていきます。保育所保育指針は、発達の諸側面が未分化である乳児の状況により即した**3つの視点**を示しています。乳児期の発達段階をふまえ、一人ひとりの乳児の発達を見守り、安全・安心に配慮して愛情豊かな環境で応答的な関わりを中心とした保育が求められます。

Check!

乳児保育での３つの視点

身体的発達に関する視点	「健やかに伸び伸びと育つ」	健康な心と体を育て、自ら健康で安全な生活をつくり出す力の基盤を培う。
社会的発達に関する視点	「身近な人と気持ちが通じ合う」	受容的・応答的な関わりの下で、何かを伝えようとする意欲や身近な大人との信頼関係を育て、人と関わる力の基盤を培う。
精神的発達に関する視点	「身近なものと関わり感性が育つ」	身近な環境に興味や好奇心をもって関わり、感じたことや考えたことを表現する力の基盤を培う。

3　1歳以上3歳未満児の保育の特性

この頃になると、徐々に基本的な運動機能が発達し、**言葉の理解**が進みます。また、**自我の芽生え**により強い自己主張もみられます（31 ページ参照）。

保育所保育指針では、1 歳以上3歳未満児の保育の内容を「健康」「人間関係」「環境」「言葉」「表現」の**5つの領域**によって示しています。この時期の子どもが、生活や遊びのさまざまな場面で自分から周囲の人や物に興味をもって関わっていこうとする姿は、「**学びの芽生え**」ともいえます。保育士等は、子どものまだ十分には言葉にならないさまざまな思いをていねいに汲み取り、受け入れつつ、子どもの思いや願いを尊重して、その発達や生活の自立を温かく見守り支えていくことが求められます。

4　3歳以上児の保育の特性

この時期は**運動機能**がますます発達し、日常生活での**言葉のやり取り**が滑らかになります。仲間と**協同**して取り組むようにもなります（31 ページ参照）。

3 歳以上児の保育はそれまでの発達の積み重ねの上にあるものであり、保育所保育指針では 1 歳以上 3 歳未満児と同じ 5 つの領域によって示されています。この時期の保育は、**個の成長**と**集団**としての活動の充実を図ることを基本とし、遊びや生活などの身近な環境に子どもが主体的に関わる活動を通して、幼児期にふさわしい経験と学びを生み出すように援助することが大切です。

5　幼児教育を行う施設として共有すべき事項

保育所においては、**保育所の生活の全体**を通して、子どもに**生きる力の基礎**を培うことが求められています。そのため、小学校以降の子どもの発達を見通しながら保育活動を展開し、保育所保育において育みたい資質・能力「**知識及び技能の基礎**」「**思考力、判断力、表現力等の基礎**」「**学びに向かう力、人間性等**」を育てることが大切です。

さらに、小学校に入学する直前の子どもの具体的な姿として「**幼児期の終わりまでに育ってほしい姿**」が保育所保育指針並びに幼稚園教育要領、幼保連携型認定こども園教育・保育要領と共通して示されています（64 ページ参照）。保育士は、乳児期から小学校入学に至るまで、子どもの発達過程や状況に応じて**一貫性**と**連続性**をもって保育を行うことが大切とされています。

7 保育の目標と内容

1 保育の目標

すべての保育所に共通する保育の目標は、**子ども**の保育に関わる目標と、**保護者支援**（ほごしゃしえん）に関わる目標に分けられます。

これらの目標は、子どもの人間形成にとって重要な時期に、保育所が生活の大半の時間を過ごす場所であることや、子どもと保護者の安定した関係が、保育の基盤となることを示しています。

2 保育に関わる目標

保育所は、生涯にわたる人間形成の重要な時期にある子どもが、「現在」を幸せに生活し、「未来」を生きるための力の基礎を培うことを目標としています。子どもの「現在」を「未来」へつなぐ営み（いとなみ）として、保育をとらえています。

この目標をもとに、子どもの欲求や心身の状態に応じたきめ細かな援助によって、その命を守り、情緒の安定を図っていく**養護的**側面の目標と、保育士が願いや意図をもって環境を構成し、子どもが自ら環境に関わるなかで、発達に必要な体験を得られるように導いていく、**教育的**側面の目標（5 領域：健康・人間関係・環境・言葉・表現）が定められています。

保育所保育指針を check!

第１章「総則」１「保育所保育に関する基本原則」
(2)「保育の目標」

ア（抜粋）（ばっすい）

（ア）十分に養護の行き届いた環境の下に、くつろいだ雰囲気の中で子どもの様々な欲求を満たし、生命の保持及び情緒の安定を図ること。

（ウ）人との関わりの中で、人に対する愛情と信頼感、そして人権を大切にする心を育てるとともに、自主、自立及び協調の態度を養い、道徳性の芽生えを培うこと。

（カ）様々な体験を通して、豊かな感性や表現力を育み、創造性の芽生えを培うこと。

3 保護者支援に関わる目標

保育所における保育士の仕事には、入所する子どもを保育すると同時に、保護者や地域の子育て家庭に対する支援をするという役割が求められます。保育所では、入所している子どもの保護者の意向(いこう)を受け止め、親子関係や家庭生活に配慮した上で、**保育所の特性**や**保育士の専門性**を活かして、保護者の援助にあたることを目標としています。

4 保育の方法

では、保育の目標を達成するためにはどうしたらよいのでしょうか。

保育士は、①子どもの実態を把握(はあく)し、**主体性**を尊重すること、②子どもが健康・安全で自己発揮のできる環境を整えること、③生活や遊びを通して**総合的に保育**をすることなどに気をつけながら保育をします。

また、保護者支援としては、保護者の状況や意向を理解し、受け止めながら、日常のさまざまな場面において、継続的に援助をすることを心がけます。

保育所保育指針をcheck!

第1章「総則」1「保育所保育に関する基本原則」

(3)「保育の方法」(抜粋)

ア　一人一人の子どもの状況や家庭及び地域社会での生活の実態を把握するとともに、子どもが安心感と信頼感をもって活動できるよう、子どもの主体としての思いや願いを受け止めること。

イ　子どもの生活のリズムを大切にし、健康、安全で情緒の安定した生活ができる環境や、自己を十分に発揮できる環境を整えること。

ウ　子どもの発達について理解し、一人一人の発達過程に応じて保育すること。その際、子どもの個人差に十分配慮すること。

オ　子どもが自発的・意欲的に関われるような環境を構成し、子どもの主体的な活動や子ども相互の関わりを大切にすること。特に、乳幼児期にふさわしい体験が得られるように、生活や遊びを通して総合的に保育すること。

5 子どもの健康・安全の確保に向けて

保育所保育指針では、子どもの健康状態と発育・発達状態の把握、感染症（かんせんしょう）などの疾病への対応、事故防止・安全対策などについて保育所が取り組むべき事項を詳細に記（しる）しています。また、2005（平成17）年の食育（しょくいく）基本法の制定などをふまえ、健康な生活の基本としての「**食を営む力**」の育成に向け、**食育の推進**も明記しています。このように、保育所は、子どもの**健康・安全の確保**が保育所生活の基本と考え、重視しています。

6 保育の内容

保育所保育指針は、保育の目標をより具体化した「**ねらい**」と、ねらいを達成するために子どもの生活やその状況に応じて保育士等が適切に行う事項や、保育士等が援助して子どもが環境に関わって経験する事項である「**内容**」で構成されています。「ねらい」と「内容」は、同指針でそれぞれ「**養護**」に関するものと、「**教育**」に関するものとに分けて示されています。しかし、実際の保育では子どもの生活や遊びのなかで相互に関連をもちながら、**総合的に展開**されていきます。つまり、**養護**と**教育**が**一体的**に展開されていくのです。

Check! 幼児期の終わりまでに育ってほしい姿

ア 健康な心と体　　イ 自立心
ウ 協同性　　エ 道徳性・規範意識の芽生え
オ 社会生活との関わり　　カ 思考力の芽生え
キ 自然との関わり・生命尊重
ク 数量や図形、標識や文字などへの関心・感覚
ケ 言葉による伝え合い　　コ 豊かな感性と表現

「**幼児期の終わりまでに育ってほしい姿**」とは、保育の内容に基づいた保育の活動全体を通して育まれた**育みたい資質・能力**の具体的な姿であり、到達目標や個別に指導するものではないことに留意（りゅうい）する必要があります。

8 保育の計画と実践

1 保育の計画の必要性

保育所は、「子どもが現在を最も良く生き、望ましい未来をつくり出す力の基礎を培う」ことを目標とし、保育士はそのための援助をしていきます。

保育所の保育は、**環境**を通して行われます。これは、子どもが保育士との**信頼関係**を基盤に、興味や関心、欲求に基づいた直接的で具体的な体験が、子どもの発達（**心情**、**意欲**、**態度**など）を最も促すと考えているからです。

しかし、保育において子どもの主体性を尊重するということは、子どものしたいようにさせて、保育士が何も働きかけないということではありません。逆に、保育士の計画だけで保育が進められていくわけでもないといえます。子どもが安心して身の回りの**環境に自ら働きかけ**、さまざまな経験を積んでいくことができるように、子ども一人ひとりの発達過程や興味関心に応じて、**保育士が保育の環境を構成する**ことが大切です。

そのため、保育所保育指針に示された「保育の内容」をもとに、子ども一人ひとりの興味や関心、環境の受け止め方や関わり方、保育所での生活の送り方など（＝子どもの育ち、状況）を理解し、子どもにとって**必要な経験**を考え（＝発達の道筋を見通す、発達過程をふまえる）、**計画的**に保育をしていくことが必要なのです。

ココは覚える！ 保育の計画とは？

「**全体的な計画**」と「**指導計画**」があり、「全体的な計画」は保育所保育の根幹を示すものとしてすべての計画の上位に位置づけられています。子どもの生活や発達を見通した**長期的**な指導計画と、より具体的な子どもの日々の生活に即（そく）した**短期的**な指導計画があります。

全体的な計画は、指導計画・保健計画・食育計画等を通じて、各保育所が創意工夫して保育できるよう作成することが定められています。

2　全体的な計画の編成

「全体的な計画」は、保育の目標を達成するために、その保育所がどのような保育の方針や目標などをもって子どもの保育を進めていくかを明らかにし、子どもが安定・充実した生活を展開できるようにするための、**全体的で総合的な計画**です。そのため、全体的な計画は指導計画などの他の計画よりも上位に位置づけられます。**保育理念**、**保育方針**、**保育目標**、**年齢**ごとの**ねらい**と**保育の内容**、**保育日程**（主な行事）などで構成されます。

3　指導計画の作成

「指導計画」は、全体的な計画に基づいて、保育の方針や目標などを**具体的**にし、**日常の保育を実践していく**ための計画です。ねらいと内容、環境の構成、子どもの活動の展開、保育士の援助、家庭との連携などで構成されます。

また、指導計画は、子どもの生活や発達を１年、１学期、１か月などの①**長期的**に見通した計画と、①と関連させながら、１週間、１日など、子どもの実態や生活に即して、より具体的に作成する②**短期的**な計画の２種類に分けられます。

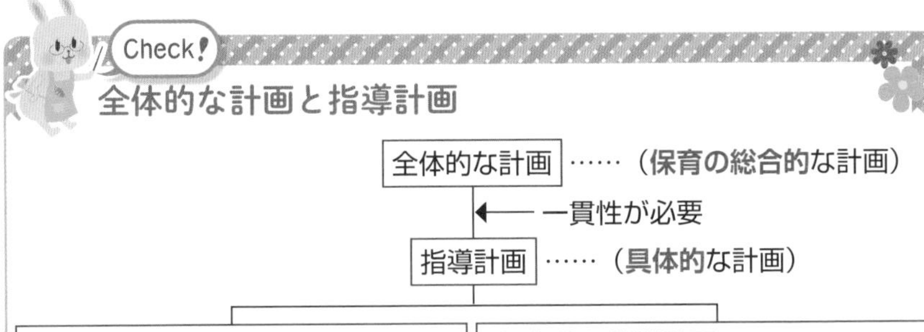

長期的な指導計画

- **年間**指導計画
  ➡ 1年間の生活を見通した計画
- **期間**指導計画
  ➡ 学期など、ある一定期間の生活を見通した計画
- **月間**指導計画
  ➡ 1か月の生活を見通した計画

短期的な指導計画

- **週**の指導計画 ➡ 期や月の指導計画に基づく1週間の計画
- **1日**の指導計画 ➡ 1日の生活全体を見通した計画
- **時間**の指導計画 ➡ ある特定の時間の計画

4 障害のある子どもの保育

指導計画を作成するときに気をつけることの１つに、障害のある子どもへの保育があります。では、どのようなことに気をつけたらよいのでしょうか。

まず、子どもの**発達過程**や、障害の種類・程度を把握します。その上で、子どもが安心して生活できるように、**適切な環境**を整え、必要な援助をします。必要に応じて、障害のある子どもに対する**個別の指導計画**を作成し、クラス全体の指導計画と関連づけることが大切です。

障害のある子どもについては、保育所での生活だけでなく、家庭や地域での生活も含めて、総合的に考える必要があります。また、小学校以降の生活や学習を見据え、長期的な見通しをもって支援をしていくことも必要です。そのために、家庭や医療・福祉などの関係機関と連携して、**個別の（教育）支援計画**を作成することも求められています。

5 小学校との連携

指導計画を作成する際は、小学校との連携にも気をつけます。

保育所での遊びや生活の中で身につけてきた創造的な思考や、主体的な生活態度などが、小学校以降の生活や学習の基盤になります。そのため、子どもの生活や発達の連続性をふまえながら、小学校の児童との交流や、小学校の教師との情報共有などを行います。また、入所児が就学する際は、子どもの育ちを支えるための資料（**保育所児童保育要録**（ようろく））を保育所から小学校へ送付します。

保育所保育指針を check!

第１章「総則」３「保育の計画及び評価」

(2)「指導計画の作成」（抜粋）

キ　障害のある子どもの保育については、一人一人の子どもの発達過程や障害の状態を把握し、適切な環境の下で、障害のある子どもが他の子どもとの生活を通して共に成長できるよう、指導計画の中に位置付けること。また、子どもの状況に応じた保育を実施する観点から、家庭や関係機関と連携した支援のための計画を個別に作成するなど適切な対応を図ること。

9 保育を評価する

1 保育の過程

1日の保育が終わった後は、その日の実践を必ず**記録**します。そのなかで、子ども一人ひとりの育ちと、自分の保育実践について反省や評価を行い、翌日以降の保育内容の見直し・改善や、次の指導計画の作成につなげていきます。こうした**計画**（Plan）、**実践**（Do）、**反省・評価**（Check）、**改善**（Action）の **PDCA サイクル**で行われる保育の一連のプロセスを、「**保育の過程**」と呼びます。PDCA サイクルは、指導計画の作成から改善までの循環サイクルです。

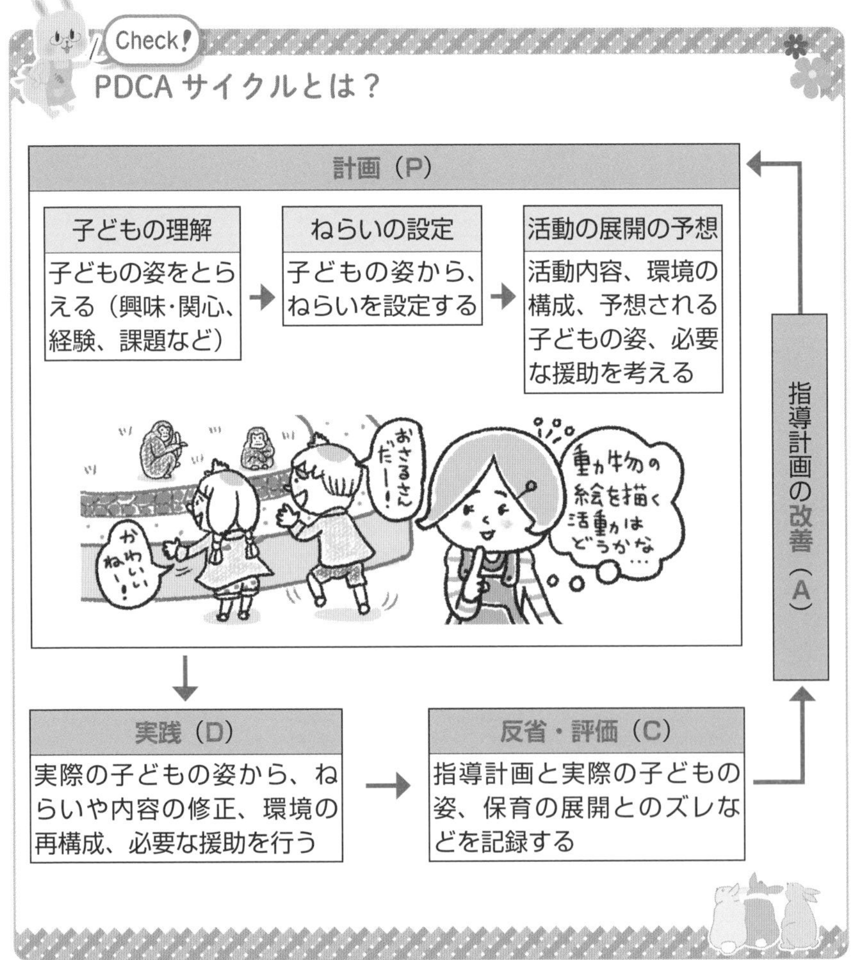

2 保育士の自己評価

保育士は、作成した指導計画や日々の保育の記録をもとに、子どもの育ちの理解や、自らの保育の過程について評価をし、保育の質を向上させていきます。

自己評価をするときには、子どもの活動内容やその結果だけでなく、子どもの**心の育ちや意欲**、取り組む過程などにも十分配慮することが大切です。また、**自らの保育実践**の振り返りや職員同士の話し合い等を通じて、**課題を明確**にし、保育所全体の保育の内容に関する認識を深めるようにします。

3 保育所の自己評価

保育所の自己評価は、保育の計画（全体的な計画や指導計画）の展開や、保育士の自己評価の結果をふまえて、保育所の**保育の内容と運営**について評価をします。これは、1 年のうちで保育活動の区切りとなる時期（主に年度末など）に行い、自己評価の観点や項目は、地域の実情や保育所の実態に即して設定します。全職員による**共通理解**をもって取り組み、その結果をもとに、保育の内容を改善します。こうしてまとめられた自己評価の結果は、保護者や地域などに公表するよう努めます。

◉全体的な計画の編成から評価・改善まで

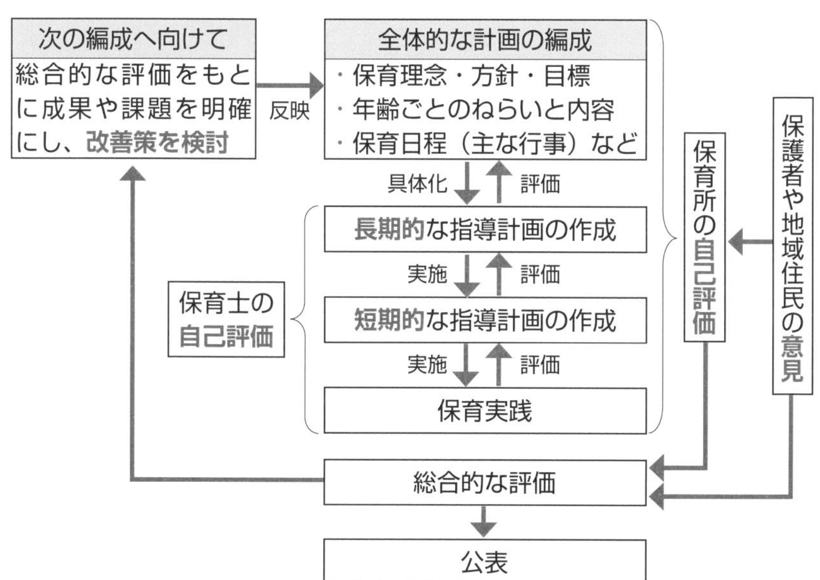

10 世界の保育の思想と歴史

1 近代社会と保育

西欧では、18世紀後半から子どもの保護や教育を目的とする保育施設が誕生しますが、その理由は大きく2つに分けられます。1つは、それまでの**子ども観**が大きく変わったことにより、子どもを**保護**し、**教育**することの意義や役割が明確になったためです。もう1つは、18世紀後半に**イギリス**で始まった**産業革命**によって、安価で働かされたり、貧富の差の拡大により放任されたりする子どもを保護し、適切な教育を施すためです。

2 家庭教育の補完の保育思想と実践

ルソー（1712～1778）	『エミール』、子どもの発見者
ルソーは、スイスに生まれ、フランスで活躍した啓蒙思想家です。ルソーは子どもを小さな大人ではなく、子どもとして生き、よい方向に伸びていこうとする存在としてとらえました。このように、子どもの権利を高く掲げたことから、「**子どもの発見者**」と呼ばれます。ルソーは、主著『**エミール**』のなかで、大人による無用な教えや干渉を排した「**消極教育**」を、理想的な教育方法として説きました。	
フレーベル（1782～1852）	**幼児教育の父、幼稚園の創始者**
フレーベルは、ドイツの教育者です。幼児期の教育の重要性と**遊び**のもつ教育的意義を見いだし、遊びを重視した幼児教育の礎を築きました。フレーベルは、子どもの育ちを植物にたとえ、1840年に「子どもたちの庭」という意味の「**Kindergarten（幼稚園）**」を創りました。これが世界初の幼稚園です。そして教育のための玩具として「**恩物**」を創案しました。フレーベルの思想は世界中に広がり、日本の幼児教育にも影響を与えました。主著は、『人間の教育』『母の歌と愛撫の歌』などです。	

恩物には球や立方体などの積み木のようなものや、色のついた板などもあります。

3 子ども保護の保育思想と実践

オーベルラン（1740 ～ 1826）　編み物学校

オーベルランは、フランスに生まれ、牧師としてフランスとドイツの国境の山間部の村に赴任し、村人を貧困と道徳的荒廃から救済する事業を興しました。1769 年に、村の女性に編み物を教える学校をつくり、そこに生徒の子どものための保護施設（「**編み物学校**」と呼ばれる）を付設しました。これが、世界最初の保育施設となりました。

オーエン（1771 ～ 1858）　性格形成学院

オーエンは、イギリスの実業家です。1816 年に、自分の紡績工場内に、労働者の家族のための「**性格形成学院**」を開設し、その中の「幼児学校」で子どもの保護と教育を行いました。自由に遊ぶなかで、事物の性質や用法などを直感的・経験的に学ぶことを重視しました。主著は、『社会に関する新見解』などです。

4 新教育運動下での保育思想と実践

モンテッソーリ（1870 ～ 1952）　モンテッソーリ教具・メソッド

モンテッソーリは、イタリアで最初の女性医師で、障害児教育の研究者でもあります。モンテッソーリは、1907 年にローマに開設された小さな託児所で指導を行いました。この託児所は、「**子どもの家**」と名づけられ、自ら開発した「**教具**」を用いた感覚教育などは、「モンテッソーリ・メソッド」として、世界中に普及しています。主著は、『幼児の秘密』『子どもの発見』などです。

エレン・ケイ（1849 ～ 1926）　『児童の世紀』、児童中心主義

エレン・ケイは、スウェーデンの教育思想家であり、女性解放運動家としても知られています。1900 年に、『**児童の世紀**』を著し、子どもの自己決定力の育成、体罰の拒否、子ども固有の権利など、「**児童中心主義**」を主張しました。

11 日本の保育の思想と歴史

1 日本の幼稚園の歴史

日本での幼稚園の始まりは、1876（明治 9）年に設立された**東京女子師範学校附属幼稚園**（現在のお茶の水女子大学附属幼稚園）とされています。フレーベルがドイツで設立した教員養成学校で学んだ**松野クララ**を主任保母に迎え、フレーベルの幼稚園を参考とし、恩物を扱う活動を中心に、保育時間表に従って保育が進められました。

その後、幼稚園は全国に少しずつ増えていき、官立・公立・私立以外にも、貧しい家庭の子どもを無償で受け入れる貧民幼稚園も設立されました。こうしたなかで、幼稚園間の差異や格差に対応するため、1899（明治 32）年に保育項目（保育内容）など幼稚園が準拠すべき法令として、「**幼稚園保育及設備規程**」（文部省令）が制定されました。

大正時代に入ると、さらに幼稚園が普及し、1926（大正 15）年には幼稚園についての単独の勅令である「**幼稚園令**」において、幼稚園の目的、対象、保母の資格などが明確に規定されました。保育項目などは、同時に制定された「幼稚園令施行規則」（文部省令）で定められていました。

2 保育所の歴史－託児所と保育園の開設－

赤沢鍾美（1864 ～ 1937）	託児所の開設
赤沢鍾美は、1890（明治 23）年に創設した私塾「**新潟静修学校**」において、生徒が背負ってくる幼い弟や妹に対し、別室で保育を行いました。その後、生徒以外の家庭の乳幼児も保育するようになり、「**守孤扶独幼稚児保護会**」と名づけられ、託児保育事業へと発展しました。	
野口幽香（1866 ～ 1950）	**二葉幼稚園（保育園）の開設**
野口幽香らは、1900（明治 33）年に、東京で貧民家庭の子どものための慈善事業として、「**二葉幼稚園**」を開設しました。フレーベル式の幼稚園に基づく保育を行い、1916（大正 5）年には、「二葉保育園」と改称されました。	

3 大正～終戦までの保育－新しい保育の創造－

倉橋惣三（1882～1955）	日本の幼児教育の父、理論的指導者

倉橋惣三（くらはしそうぞう）は、1917（大正6）年、東京女子高等師範学校附属幼稚園の主事となり、子ども主体の新しい保育の理論化と実践に取り組みました。

特に、子どもの生活を「さながらにしておく」、つまり、子どもの**ありのまま**の生活のなかにこそ、自己充実のための大きな力があるとしました。保育者は、教育のための設備（環境）を整え、子どもは自由な遊び（経験を通しての学び）が保障されます。その実現のため、保育者は「**誘導保育案**（ゆうどう）」を作成・展開します。主著は、『幼稚園雑草』『育ての心』など。

4 戦後改革と保育制度

1945（昭和20）年の終戦後、1947（昭和22）年の**児童福祉法**の制定により、戦前の託児所は保育所と改称され、**児童福祉施設**として位置づけられました。また、幼稚園は、同年の**学校教育法**の制定により、学校として位置づけられました。

1948（昭和23）年には、文部省（現・文部科学省）が「**保育要領**」を作成・刊行しました。これは、幼稚園だけでなく、保育所や家庭における保育の手引書として示されたものでした。文部省は、1956（昭和31）年に「保育要領」を大幅に改訂し、幼稚園の教育課程の基準として「**幼稚園教育要領**」を刊行しました。その後、厚生省（現・厚生労働省）が、1965（昭和40）年に「**保育所保育指針**」を初めて制定しました。

◉戦後の保育制度の流れ

	幼稚園	保育所
1947（昭和22）年	**学校教育法**の制定	**児童福祉法**の制定
1948（昭和23）年	文部省「**保育要領**」刊行	－
1956（昭和31）年	文部省「**幼稚園教育要領**」刊行	－
1965（昭和40）年	－	厚生省「**保育所保育指針**」制定

ここでチャレンジ！

一問一答で確認してみましょう。○×を答えてね。
ただし、（　★　）は穴埋め問題です。入る言葉を答えましょう。

問 1
check!

保育所は、「保育を必要とする乳児・幼児の保育を目的とする施設」として、児童福祉法に定められている。

問 2
check!

こども家庭庁創設後、保育所の管轄は厚生労働省からこども家庭庁に移行した。

問 3
check!

保育士は子育てに関する相談や助言にあたり、知り得た事柄について、例外なくその秘密を保持すること。

問 4
check!

保育所は、子どもの状況や発達過程をふまえ、環境を通して、養護と教育を一体的に行うことを特性としている。

問 5
check!

5 歳児後半には「幼児期の終わりまでに育ってほしい姿」に示されたような力がつくよう、10 の姿それぞれを計画的に指導していかなくてはならない。

問 6
check!

1890（明治 23）年、（　★　）は、新潟静修学校に日本初の保育所を開設した。

問 7
check!

日本の幼児教育の父と呼ばれた（　★　）は、保育者が環境を整え、そこでの子どもの自由な遊びを保障するために、「誘導保育案」を作成・展開することを提唱した。

答 1 ○

保育所は、**児童福祉法**に規定された児童福祉施設であり、保育を必要とする乳児・幼児の保育を行うことを目的としている。

答 2 ○

こども家庭庁創設後、**保育所**と**認定こども園**、**小規模保育施設**の管轄はこども家庭庁に移行した。

答 3 ×

「保育所保育指針（ほいくしょほいくししん）」第４章１の（2）「子育て支援に関して留意（りゅうい）すべき事項」イにあるように、秘密の保持が**子どもの利益（りえき）**を侵害（しんがい）する場合はその限りではない。

答 4 ○

子どもが安心して自己発揮し、体験を通して学びを積み重ねていくためには、**養護**を基盤としながら、それと一体的に**教育**が展開されることが大切である。

答 5 ×

「**幼児期の終わりまでに育ってほしい姿**」は、幼児期にふさわしい遊びや生活の積み重ねで育つものであり、個別に取り出して指導するのではない。

答 6 赤沢鍾美（あかざわあつとみ）

赤沢鍾美は生徒が連れてくる幼い弟妹を別室に集めて保育した。これが日本初の保育所といわれている。

答 7 倉橋惣三（くらはしそうぞう）

倉橋惣三は、子ども主体の新しい保育の理論化と実践に取り組んだ。その基本的な考え方は、現在の日本の幼児教育に大きく影響している。

子ども家庭福祉

この科目では、現在の子ども家庭福祉の考え方がつくられた歴史的な背景にも目を向けながら、法律やサービス、各種関係機関のほか、子ども・家庭に対する支援の実際について学びます。

1 子ども家庭福祉の考え方

1 子ども家庭福祉って？

子ども家庭福祉が目的としているのは、**子どもの権利**を尊重しながら、**健やかな成長・発達**を保障する社会を実現していくことです。

その基本になるのは、**ウェルビーイング（well-being）**という福祉観です。ひと昔前のウェルフェア（welfare）という福祉観は、第二次世界大戦後の児童福祉法の制定によってつくられた考え方であり、貧しい人の救済を中心とするという保護的な意味が強い特徴がありました。

それに対して、**ウェルビーイング**という考え方には、救済に限らず、問題が深刻化しないように**予防**したり、**教育**したり、啓発していくという特徴があります。また、子どもへの支援だけでなく、子どもが生活して成長する場である家庭や家族（保護者の支援や親子関係の支援、さまざまな福祉サービスの利用など）も含めた広い視点から、自立や自己実現を支えていく意味を含んでいます。

◉伝統的な児童福祉と現在の児童福祉（子ども家庭福祉）

	ウェルフェア（welfare）	ウェルビーイング（well-being）
理念（考え方）	保護するという意味合いが強い考え方	保護するだけでなく、**子どもの人権**が尊重され、**自立**や**自己実現**を支えていく考え方
主な特徴	施設で保護をして生活を送る「**施設入所**」が中心	「施設入所」の他、必要に応じて家庭から施設に通う「**通所サービス**」、家庭に専門家が訪れて支援を行う「**在宅サービス**」などが提供される

2 児童の定義はどうなっているの？

同じ「児童」という用語が使われていても、法律によってその年齢の範囲（定義）が異なることがあります。また、年齢の上限が示されていても、「何歳から対象となるのか」という始まり（年齢の下限）が示されていない場合もあります。このとき、法律の条文のなかでそのことに触れられていない場合には、「**生まれてから**」と理解するのが一般的です。

一方で、「少年」の定義をみてみると、児童福祉法では「**小学校就学の始期から、満 18 歳に達するまでの者**」、少年法では「**20 歳に満たない者**」と規定されているように、こちらも年齢の下限が示されているものと示されていないものが混在しています。

きをつけよう！

「児童」でも年齢が違う

法律名	法による定義（法律の条文）
児童福祉法	満 18 歳に満たない者（第 4 条 1 項）
児童手当法	18 歳に達する日以後の最初の 3 月 31 日までの間にある者（第 3 条 1 項）
児童扶養手当法	18 歳に達する日以後の最初の 3 月 31 日までの間にある者又は 20 歳未満で政令で定める程度の障害の状態にある者（第 3 条 1 項）
母子及び父子並びに寡婦福祉法	20 歳に満たない者（第 6 条 3 項）
児童虐待の防止等に関する法律	18 歳に満たない者（第 2 条）
児童買春、児童ポルノに係る行為等の規制及び処罰並びに児童の保護等に関する法律	18 歳に満たない者（第 2 条 1 項）

この他に、こども基本法では、「こども」を「心身の発達の過程にある者」と定めているよ。

2 子どもの権利と児童福祉の歴史

1 子どもの権利保障の国際的な動向

1918年に終結した第一次世界大戦では、世界各地で親や家を失い、路頭に迷う多くの子どもたちがうまれました。この戦争をきっかけに、国際的に「子どもの権利」への取り組みが行われることになります。

まず、1924年に国際連盟の総会において、前文と5か条からなる**児童の権利に関するジュネーブ宣言**（**ジュネーブ宣言**）が採択されました。この宣言では、すべての人が「児童に対して**最善のもの**を与えるべき義務を負う」ことを認め、人種や国籍、信条にかかわらず、子どもの成長発達を支えていくことや、緊急時の救済・保護などを人類共通の義務としました。

2 児童権利宣言

1959年には、国際連合の総会で、世界人権宣言（1948年）やジュネーブ宣言の考えを基本とした**児童権利宣言**が採択されました。前文と10か条からなり、ジュネーブ宣言よりも具体的な内容で、広く子どもの権利を認めるものでしたが、国際的に法的な拘束力をもたせるものではありませんでした。

3 児童の権利に関する条約（子どもの権利条約）

国際連合は、児童への関心を呼びさますために、児童権利宣言の採択から20年後の1979年を**国際児童年**と定めました。これをきっかけに、国際的に**法的な拘束力**をもつ「条約」とする草案がポーランドから提出され、約10年にわたる準備の末、1989年の国連総会で「**児童の権利に関する条約**」が採択されました。日本は**1994**（**平成6**）年に批准（同意）した、158番目の締約国です。

児童の権利に関する条約では、①児童の生存・**発達**・保護に関すること、②児童の**最善の利益**の尊重などについて触れられており、**子ども**の立場からそれぞれの権利が説明されています。そして、この条約では、「子どもは保護者や社会から守られ、権利を与えられる存在」という**受動的**権利に加えて、「子どもであっても、自分の考えで権利を主張する（使う）ことができる存在」であるという**能動的**権利を認めています。

4 日本の児童福祉

1874（明治 7）年に制定された**恤救規則**は、13 歳以下の孤児などを救済の対象としていましたが、救済方法は米の支給であるなど、子どもにとっては厳しいものでした。この頃から社会的な連帯感や倫理的な義務感に基づいた民間の慈善事業が広がりをみせます。その後、1929（昭和 4）年には**恤救規則**に代わって救護法が公布され、**恤救規則**よりも対象者や救済内容が拡大されるとともに、貧しい人の救済が国の義務となりました（1932〔昭和 7〕年施行）。

日本の主な民間の慈善事業

年号	人名	施設名	内容
1883（明治 16）年	**池上雪枝**	池上感化院	日本最初の感化院（現在の**児童自立支援施設**の前身）をつくり、少年・少女の自立を支援した
1887（明治 20）年	**石井十次**	岡山孤児院	イギリスの**バーナードホーム**にならって、現在の小舎制や里親制度に似たしくみを取り入れた
1891（明治 24）年	**石井亮一**	孤女学院（後に滝乃川学園に改称）	孤児を保護して施設を開設した際に知的な発達に遅れがある子どもがおり、**障害児の教育**に関心を抱いた
1899（明治 32）年	**留岡幸助**	家庭学校	**犯罪**や**非行**は家庭環境や幼い頃の育ち方の影響が大きいと考えた。夫婦が住み込んで少人数の子どもを支援する「**夫婦小舎制**」を取り入れた
1946（昭和 21）年ほか	**糸賀一雄**	近江学園 びわこ学園	発達保障の思想を確立させた。子どもの主体性を尊重した「**この子らを世の光に**」との記述が有名である

3 子ども家庭福祉の法律

1 児童福祉六法

日本では、日本国憲法（けんぽう）における基本的人権の尊重を基本原理とする考えをもとに、さまざまな法律や制度ができています。

ココは覚える！ 児童福祉六法

児童福祉法、児童扶養手当法、特別児童扶養手当等の支給に関する法律、**母子及び父子並びに寡婦福祉法**、**母子保健法**、児童手当法

子ども家庭福祉分野の６つの法律をまとめて、**児童福祉六法**（じどうふくしろっぽう）と呼びます。

2 児童福祉法

1947（昭和 22）年に制定された児童福祉法は、すべての児童を対象とする法律であり、時代の状況や流れに合わせて、その都度、改正されてきました。児童を育てる責任は、まずもって保護者にあることを示し、**国**や**地方公共団体**にも保護者とともに育成する責任があることを定めています。また、法律のなかの児童福祉の理念（考え方）は、2016（平成 28）年の法改正によって、**児童の権利を保障する表現**に改められました。

条文 check!

児童福祉法

第１条　全て児童は、児童の権利に関する条約の精神にのつとり、適切に養育されること、その生活を保障されること、愛され、保護されること、その心身の健やかな成長及び発達並びにその自立が図られることその他の福祉を等しく保障される権利を有する。

◉児童福祉法の近年の主な改正点

改正年	特徴	改正の内容
1997（平成9）年	措置制度から**利用契約制度**へ	**保育所**への入所が、措置方式から、利用者が選択できる利用契約制度へと改められた
	自立支援を規定	児童養護施設、児童自立支援施設の目的に**自立支援**が追加された
2001（平成13）年	保育士資格の**国家資格化**	保育の質の向上を目指すために保育士資格が国家資格化された
2004（平成16）年	児童に関する相談・協力体制の強化	**要保護児童対策地域協議会**の設置が規定された
2008（平成20）年	子育て支援事業の拡充	子育て支援事業に、**乳児家庭全戸訪問事業**、**養育支援訪問事業**等が追加された
	里親制度の見直し	養育里親が**養子縁組里親**と区別して法定化されたほか、**里親研修が義務化**された
2010（平成22）年	定義の変更	障害児の定義に「精神障害児（**発達障害児**を含む）」が追加された
	障害児施設の統一	**入所**と**通所**の形態別に「**障害児入所施設**」と「**児童発達支援センター**」に分類された
2012（平成24）年	定義の変更	障害児の定義に「**難病等の児童**」が追加された
2016（平成28）年	児童虐待の発生予防から自立支援までの対策強化等	児童福祉法の**理念**の明文化、**母子健康包括支援センター**の全国展開、市町村・児童相談所の体制強化、里親委託の推進等に関する改正が行われた
2020（令和2）年	児童虐待防止対策の強化等	**体罰禁止**の法定化、**児童相談所**の体制強化、関係機関間の連携強化が図られた
2022（令和4）年	子育て世帯への支援・体制の強化等	**こども家庭センター**の創設、児童の**意見聴取**等の仕組みの整備、**こども家庭ソーシャルワーカー**資格が設けられた

3 児童扶養手当法

さまざまな理由から**父または母**と生計を同じくしていない児童を育てている家庭（ひとり親家庭）に対して、**生活の安定**と**自立を促進**するために手当を支給し、児童の福祉の増進を目指すことを目的として、1961（昭和 36）年に制定されました。支給にあたっては養育者の所得制限があります。

Check!

児童扶養手当が支給されるのは主にこんなとき

・**父母が離婚**した　・父または母が**死亡**した（または生死が不明）
・父または母が一定の**障害**の状態にある　など

4 特別児童扶養手当等の支給に関する法律

1964（昭和 39）年に「重度精神薄弱児扶養手当法」として制定されましたが、1966（昭和 41）年に現在の名称に改題されました。この法律によって支給される手当は、「**特別児童扶養手当**」「障害児福祉手当」「特別障害者手当」の 3 つに分けられます。障害者・児の**施設に入所**している場合には手当は支給されません。なお、児童手当、児童扶養手当、特別児童扶養手当、障害児福祉手当は、条件を満たせば併せて支給を受けること（**併給**（へいきゅう））ができます。支給にあたっては養育者の所得制限があります。

きをつけよう!

手当	支給されるひと
特別児童扶養手当	20 歳未満の障害児を監護（かんご）する**父母**など
障害児福祉手当	**重度障害児**（重度の障害にあるため、日常生活において常に介護が必要な児童）
特別障害者手当	特別障害者（**20** 歳以上で著（いちじる）しく**重度の障害**の状態にあるため、日常生活において常に特別の介護が必要な者）

5 母子及び父子並びに寡婦福祉法

2014（平成 26）年に「母子及び父子並びに寡婦福祉法」が制定されました。

母子家庭や父子家庭、死別や離婚などで配偶者のいない寡婦の**生活の安定**と向上を福祉の観点から支えることを目的としています。①**福祉事務所**への相談員（母子・父子自立支援員）の配置、②職業訓練などの雇用の促進、③公営住宅の優先的入所、④各種福祉資金の貸付などについて定めています。

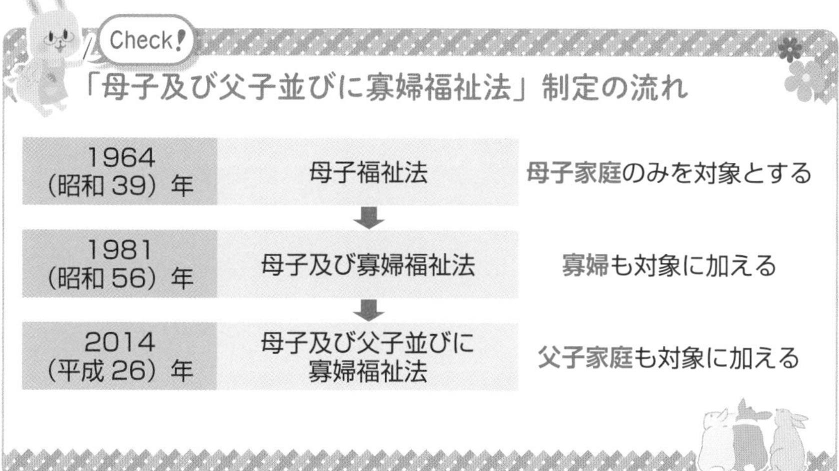

「母子及び父子並びに寡婦福祉法」制定の流れ

年	法律	内容
1964（昭和 39）年	母子福祉法	**母子家庭**のみを対象とする
1981（昭和 56）年	母子及び寡婦福祉法	**寡婦**も対象に加える
2014（平成 26）年	母子及び父子並びに寡婦福祉法	**父子家庭**も対象に加える

6 母子保健法

母と乳幼児の健康の保持と増進を目的として 1965（昭和 40）年に制定されました。①**妊娠**の届出、②**母子健康手帳**の交付、③ 1 歳 6 か月児と 3 歳児の**健康診査**、④妊産婦に対する保健指導、⑤産後ケア事業、**未熟児**に対する訪問指導などについて定めています。

7 児童手当法

1971（昭和 46）年に制定されました。児童の健やかな成長の支援などを目的に、児童を養育している**保護者**等に児童手当が支給されます。**中学校**修了前までの児童がいる家庭が対象です。支給にあたっては養育者の**所得制限**があります。2024（令和 6）年 10 月分の支給より、支給期間が 18 歳に達する日以降の最初の 3 月 31 日まで（学生でなくても条件が満たされれば支給される）に延長、所得制限が撤廃される見込みです。

4 行政の役割

1 国の役割

国は子ども家庭福祉の施策(しさく)の推進に重要な役割を果たしています。

具体的なところでは、国は、児童や家庭への支援全般についての企画・調整、監督指導、事業に関わる**予算の決定**などを担当しています。2023（令和5）年度からは、これまで厚生労働省が担ってきた子どもに関する事務等を担当する機関として「こども家庭庁」が内閣府の外局として設置されました。

2 都道府県・市町村の役割

都道府県の子ども家庭福祉関係の役割としては、①市町村の区切りにとらわれず、広い視点から都道府県内の実態を把握(はあく)すること、②**児童福祉施設の認可**や指導監督などがあり、同様に、市町村の役割としては、①**保育所**の設置運営(うんえい)、②乳幼児の**健康診査**、③子育て支援事業をはじめとする地域に密着したサービスを提供することなどがあげられます。

3 児童福祉審議会

児童福祉審議会は、**都道府県**、**指定都市**、**中核市**に設置が義務づけられています。都道府県児童福祉審議会(じどうふくししんぎかい)では、児童、妊産婦、知的障害者の福祉に関する事項について、調査審議、答申(とうしん)、意見具申(いけんぐしん)などを行います（下のCheck!を参照）。また、出版物・玩具(がんぐ)の推薦や、その販売者に対して参考となる意見を出したりします。

Check!

児童福祉審議会に意見を聴く事項

・児童福祉施設の設備や運営が最低基準に達せず、著しく有害であるとき
・無認可児童福祉施設に対する事業の停止や施設の閉鎖を命ずるとき

など

4　保健所

保健所は、**都道府県**、**指定都市**、**中核市**、**特別区**などに設置が義務づけられている公衆衛生（こうしゅうえいせい）の中心的な機関です。

ココは覚える！ 保健所の子ども家庭福祉に関する主な業務

①児童の保健に関する正しい**衛生知識の普及**、②児童の健康相談・**健康診査**・保健指導、③児童の**療育指導**など

保健所は地域保健法により設置されています。

5　福祉事務所

福祉事務所は、社会福祉法に基づいて、**都道府県**、**市**、**特別区**に設置されています（町村は任意設置）。

都道府県福祉事務所では、**生活保護法**、**児童福祉法**、母子及び父子並びに寡婦福祉法に関する内容を取り扱っています。

市町村福祉事務所では、生活保護法、児童福祉法、母子及び父子並びに寡婦福祉法、老人福祉法、身体障害者福祉法、知的障害者福祉法のいわゆる「**福祉六法**」に関する業務を取り扱っています。子ども家庭福祉に関する業務としては**生活保護**の実施、助産施設及び母子生活支援施設、保育所への入所事務、ひとり親家庭からの相談への対応や各種の指導を行っています。

家庭や児童に関する相談指導の業務を強化するために、福祉事務所には**家庭児童相談室**を設置することができます。家庭児童相談室には**社会福祉主事**や**家庭相談員**と呼ばれる専門家がおり、家族・家庭関係、子育て環境、学校生活に関するものなど、児童や家庭に関わるさまざまな相談に応じています。

自治体には、いろいろな機関を設置する義務があるんだね。

5 児童相談所

1 児童相談所ってどんなところ？

児童相談所は、子どもの福祉や権利を守るために、家庭や地域住民からのさまざまな相談に応じて必要な援助(えんじょ)や指導を行う機関です。**都道府県**、**指定都市**、**児童相談所設置市**に設置が義務づけられています。

Check! 児童相談所の主な業務

①家庭などからの児童に関する相談のうち、専門的な知識・技術を必要とするものに応じる
②児童やその家庭に対して、必要な調査や判定を行う
③②の調査や判定にしたがって、必要な指導や措置などを行う
④必要に応じて児童の**一時保護**(いちじほご)を行う

2 児童相談所の相談内容

児童相談所では、養護相談から育成相談まで幅広い内容に対応しています。しかし、児童相談所の人手にも限界があります。未熟児への対応といった「**保健相談**」や、育児やしつけといった比較的容易な「**育成相談**」などは、市役所や保健所、保育所などの専門機関でも受け付けています。これにより、児童相談所への一極集中を避けるとともに、素早い対応を可能にしています。

◉児童相談所ではこんな相談を受けています

養護(ようご)**相談**	養育困難児、被虐待児、養子縁組に関する相談など
保健相談	未熟児、虚弱児などに関する相談など
障害相談	心身の障害、発達障害に関する相談など
非行相談	家出や暴力、飲酒や喫煙等の問題行動に関する相談など
育成相談	登校（園）拒否、しつけに関する相談など

3 児童相談所での相談の流れ

児童相談所が受け付けた相談は、児童福祉司（じどうふくしし）などが児童やその家庭を調査するほか、心理診断、医学診断、一時保護を担当する児童指導員や保育士による行動診断などが行われ、専門家の判定会議においてさまざまな視点から対応が検討されます。その後、援助方針会議が開かれて援助方針が決められ、**在宅指導**（心理療法（しんりりょうほう）や児童福祉司からの指導など）、児童福祉施設への**入所措置**などの対応がとられます。

4 一時保護

児童虐待のおそれがあるときや、少年が刑罰法令（けいばつほうれい）に触れる事件を犯したとき等で、**児童相談所長**または**都道府県知事**が必要と認める場合には、児童を一時保護することができます（子どもと保護者の同意を得ることが望ましい）。一時保護所がない児童相談所では、児童福祉施設や里親に委託することもあります。一時保護の期間は原則**2か月**以内です（必要があれば延長（えんちょう）可能）。

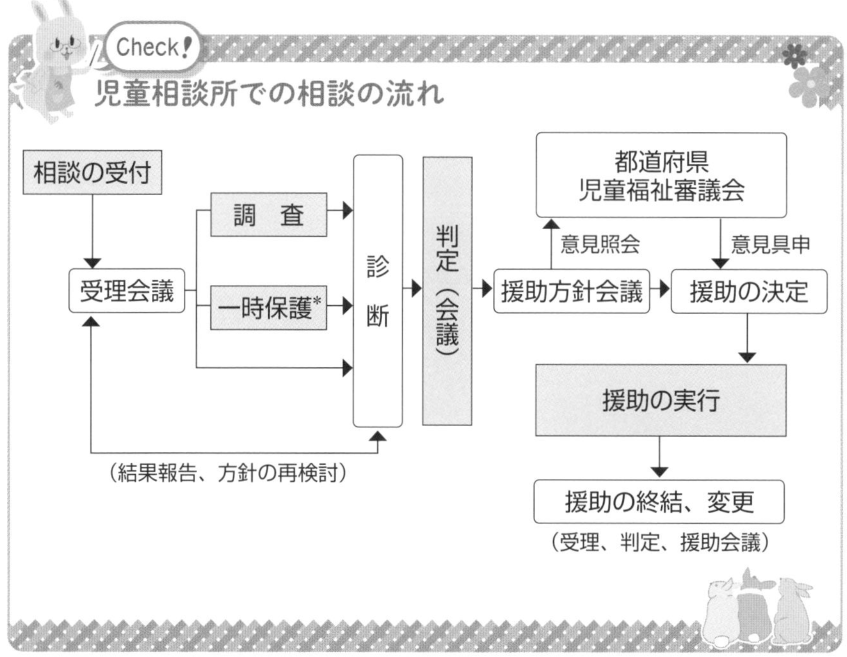

＊こども家庭庁「全国児童相談所一覧」によると、全国の児童相談所 234 か所には、155 か所（2 か所以上設置を含む）の一時保護所があります（2024〔令和 6〕年 4 月 1 日現在）。この数値から単純計算すると、一時保護所の設置率は 66% です。

6 児童虐待

1 児童虐待とは？

「児童虐待」とは、加害者が親などの保護者であり、児童に加えられた暴行などが偶然に起きたものではない児童への各種行為をいいます。2000（平成12）年施行の「児童虐待の防止等に関する法律（児童虐待防止法）」では、児童虐待を**身体的虐待**、**性的虐待**、**心理的虐待**、**ネグレクト**に分類しています。

ココは覚える！ 児童虐待の種類

虐待の種類	定　義	虐待の例
身体的虐待	児童の身体に**外傷**（がいしょう）が生じ、または生じる**おそれのある暴行**を加えること	殴（なぐ）る、蹴（け）る、投げ落とす、激しく揺さぶる、やけどを負わせる、溺（おぼ）れさせる、首を絞める、縄などで部屋に拘束（こうそく）することなど
性的虐待	児童にわいせつな行為を**すること**またはわいせつな行為を**させること**	子どもへの性的行為、性的行為をみせる、性器を触ったり触らせる、ポルノグラフィの被写体（ひしゃたい）とすることなど
心理的虐待	児童に著しい心理的外傷を与える**言動**（げんどう）**を行う**こと	言葉による脅（おど）し、無視、兄弟姉妹間での差別的扱い、子どもの前で家族に対する暴力行為を行う（みせる）ことなど
ネグレクト	児童の心身の**正常な発達**を妨（さまた）げるような著しい**減食**（げんしょく）や長時間の**放置**その他の保護者としての**監護**を著しく怠（おこた）ること	家に閉（と）じ込める、食事を与えない、不潔にする、自動車のなかに放置する、重い病気になっても病院に連れていかないことなど

児童虐待は、大きく４つに分類されています。

2 児童虐待への対応

児童虐待は児童の人権が著しく侵害される行為です。児童福祉法では、虐待を受けたと思われる児童を発見した人に、**児童相談所**や福祉事務所などへの連絡（これを通告といいます）を**義務**づけています。

通告を受けた**児童相談所**などでは子どもの安全確認や調査が行われます。このとき、子どもの身に危険がある場合には**一時保護**が行われます。場合によっては、家庭裁判所で親権を喪失するための手続きが行われることもあります。

また、地域のなかには、保健・医療・福祉・教育・警察などの関係機関が子どもや家庭に関する情報を共有して対応していく**要保護児童対策地域協議会**のしくみがあります。この協議会があることで、要保護児童の早期発見や、速やかに支援を開始できることなどの利点が考えられます（設置は任意）。

3 児童虐待の状況

2022（令和 4）年度に全国の児童相談所が受けた児童虐待に関する相談の対応件数は 219,170 件（速報値）であり、児童虐待防止法が施行される前の 1999（平成 11）年度と比べると約 **18.8** 倍に増加しています。

虐待の種類別にみると、**心理的虐待**が 59.1%と最も多く、次いで**身体的虐待**が 23.6%となっています。また、「令和３年度福祉行政報告例」（厚生労働省）によると、虐待者では、**実母**が 47.5%と最も多く、次いで**実父**が 41.5%となっています。虐待を受けた子どもの年齢構成に目を向けると、0 ～ 6 歳の子どもの合計は、全体の約 44%を占める高い値となっています。

◉児童相談所における児童虐待相談の内訳

虐待の種類別　こども家庭庁「令和 4 年度児童相談所における児童虐待相談対応件数（速報値）」

身体的虐待	性的虐待	心理的虐待	ネグレクト
23.6%	1.1%	59.1%	16.2%

虐待者別　厚生労働省「令和 3 年度　福祉行政報告例」

実母	実父	実父以外の父	実母以外の母	その他
47.5%	41.5%	5.4%	0.5%	5.2%

虐待を受けた子どもの年齢構成別　厚生労働省「令和 3 年度　福祉行政報告例」

0 歳～ 2 歳	3 歳～ 6 歳	7 歳～ 12 歳	13 歳～ 15 歳	16 歳～ 18 歳
18.7%	25.3%	34.2%	14.5%	7.3%

7 非行少年

1 非行少年とは？

少年法では、少年を「**20 歳に満たない者**」と定義し、非行少年を①**犯罪少年**、②**触法少年**、③**虞犯少年**の 3 つに分類しています。さらに、2022（令和 4）年の少年法改正により、**特定少年**（18 歳以上の少年）という区分が創設されました。非行少年に関する児童相談所への通告・相談、警察や家庭裁判所などから児童相談所にもちこまれたケースは、**児童福祉法**と**少年法**の 2 つの法律をもとに、児童の**年齢**や非行の**程度**などを考慮しながら対応がとられます。

きをつけよう！

非行少年	犯罪少年	**14 歳以上**で犯罪行為をした少年
	触法少年	**14 歳未満**で触法行為（刑罰法令に触れる行為）を行った少年
	虞犯少年	性格や環境に照らして、将来、罪を犯すか、触法行為をする**おそれがある**少年
	特定少年	**18・19 歳**で犯罪行為をした少年

2 犯罪少年

犯罪少年はすべて**家庭裁判所**に送られ（**送致**）、調査や審判を受けることになります。そして、**少年鑑別所**での鑑別結果などを総合的に判断して、保護処分などが決定されます。重大な犯罪を起こし、更生を目指す保護処分よりも、刑や罰を与える刑事処分の方が適切と判断された場合には、大人と同じ裁判を受けるために検察庁の検察官に送致されます。これを**逆送**といいます。重大事件（故意に殺人などを犯した少年）は、逆送が原則とされています。

3 触法少年

刑罰法令では「**14 歳に満たない者**の行為は、罰しない」としています。そのため、刑罰法令に触れる行為をした触法少年は、**児童相談所**に通告されて児童福祉法による対応がとられます。ただし、それらが殺人などの重大な内容の場合には、**家庭裁判所**に送致されて**審判**（判断）を受けることになります。

4 虞犯少年

少年法上の虞犯理由（保護者の監督に従わない、理由がなく家庭に寄りつかない、不道徳な交際をするなど）にあてはまり、**性格**や**環境**をふまえると将来的に刑罰法令に触れる行為をする**おそれのある**少年をいいます。

5 特定少年

特定少年は、すべて**家庭裁判所**に送られ、**家庭裁判所**が処分を決定します。また、特定少年が犯した事件について起訴された場合（略式手続きの場合を除く）、**実名報道**が可能となります。

●非行少年に関する手続きの主な流れ

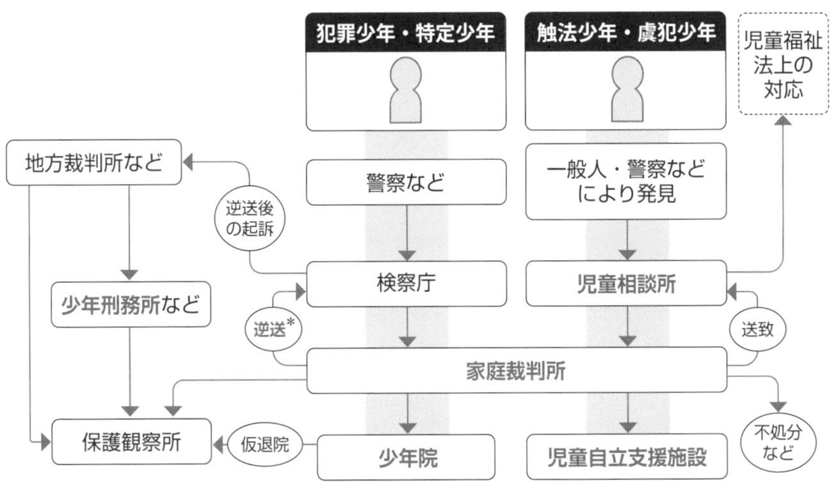

＊特定少年は、犯罪少年よりも原則逆送の対象となる事件が多い。
例 犯罪少年……強盗殺人、殺人、傷害致死　など
　特定少年……上記に加えて現住建造物等放火、強制性交、強盗、組織的詐欺など

6 少年非行の動向

少年による刑法犯の検挙人員は、2004（平成 16）年以降、減少し続けていたものの、2022（令和 4）年は前年度より 2.5%**増加**し、2 万 912 人であった。2022（令和 4）年の少年による刑法犯の検挙人数の内訳をみると、**窃盗**が最も多く（11,159 人）、次いで**傷害**（1,942 人）、**暴行**（1,461 人）の順となっている。少年による刑法犯の少年比では、**恐喝**の割合が最も高くなっている（27.0%）（「令和 5 年版犯罪白書」より）。

8 子ども家庭福祉の専門職

1 施設内外の専門職

子ども家庭福祉に関わるそれぞれの施設では、さまざまな職種が協力して、子どもや家庭への支援が行われています。それぞれの施設にはどのような専門職がいるのでしょうか。

職　種	配置先と職務内容	
児童指導員	配置先	乳児院、児童養護施設、児童心理治療施設、障害児入所施設、児童発達支援センター
	食事・排せつ・衣類の着脱など、日常生活上の身の回りの生活指導などを行う	
母子支援員	配置先	母子生活支援施設
	施設を利用する母親の就労の支援や、児童の養育に関する相談・助言などを行う	
心理療法担当職員	配置先	乳児院、母子生活支援施設、児童養護施設、児童心理治療施設、児童自立支援施設
	精神的な不安（虐待によるものを含む）などを取り除く心理療法を行う	
家庭支援専門相談員	配置先	乳児院、児童養護施設、児童心理治療施設、児童自立支援施設
	入所児童の保護者などに面接・指導を行い早期の家庭復帰に向けた支援を行う	
児童福祉司	配置先	児童相談所
	児童の保護や児童の福祉に関する相談、家庭への指導などを行う	

※児童福祉施設で働く職員の資格要件については、「児童福祉施設の設備及び運営に関する基準」に示されています（国家資格免許等の一部を除く）。

2 民生委員・児童委員

民生委員は、「**民生委員法**」で定められる民間の奉仕者（ボランティア）です。児童福祉法では、民生委員が**児童委員**の職務を兼ねることになっています。また、児童委員のなかから、厚生労働大臣によって主任児童委員が選ばれます。

民生委員は、それぞれの担当区域で、社会福祉の制度やサービス、相談窓口の紹介など、行政機関と地域住民の橋渡し役として活動しています。そして、児童委員として、乳幼児や児童などに関する相談に応じて、児童虐待の防止や育児不安の解消につなげるなど、身近な相談者としての役割を果たしています。

主任児童委員は、担当区域をもたず、民生委員・児童委員と連携しながら子育てに関する相談や児童の健全育成を目的とする活動などを行っています。

民生委員の委嘱・任期等

- **都道府県知事**の推薦をもとに**厚生労働大臣**が委嘱
- 任期は**3年**で再任が可能（給与の支給はない）

民生委員には、差別的・優先的な対応をしないことや、秘密保持などの職務上の義務があります。

3 関係機関との連携

福祉事務所は、都道府県知事または市町村長から委任された場合に、**保育所**における保育の実施、**助産施設**における助産の実施、**母子生活支援施設**における母子保護に関する業務を行います。

また、児童福祉施設に入所している子どもは、一般家庭の子どもと同じように**地域の学校**で教育を受けています。義務教育の小学校や中学校を例にとると、通学の形態には、①「施設から地域の学校に通学する形態」と②「施設内に設置された分校や分教室で教育を受ける形態」があります。②の場合は、距離などの地理的条件のほかにも、児童自立支援施設などに入所している児童であって、地域の学校に通うのが状況的に難しいケースなども含まれます。

ここでチャレンジ!

一問一答で確認してみましょう。○×を答えてね。
ただし、（　★　）は穴埋め問題です。入る言葉を答えましょう。

問 1
check!

子ども家庭福祉分野で行われている現在の施策は、主にウェルフェア（welfare）の福祉観をもとにしている。

問 2
check!

1989年の国連総会で採択されたのは、児童の権利に関するジュネーブ宣言である。

問 3
check!

1971（昭和46）年に制定された（　★　）法の目的は、児童の家庭等における生活の安定に寄与し、その健やかな成長を支援することにある。

問 4
check!

児童相談所において一時保護を行う場合、その期間は原則として、（　★　）以内である。

問 5
check!

「児童虐待の防止等に関する法律（児童虐待防止法）」に定義されている児童虐待に該当する行為とは、身体的虐待、性的虐待、経済的虐待、ネグレクトの４つである。

問 6
check!

故意に殺人などの重大な犯罪を起こした少年に対して、大人（成人）と同じ刑事裁判を受けることが相当と判断されて検察官へ送致されることを（　★　）という。

問 7
check!

児童相談所との密接な連携のもとに、児童の早期家庭復帰、里親委託などを可能とするための相談援助を行うほか、親子関係の再構築などを担う専門職は（　★　）である。

答 1 ×

子ども家庭福祉分野をはじめとして、現在の児童（子ども）に関する施策などの基本的な理念は、ウェルビーイング（well-being）の福祉観に基づいている。

答 2 ×

「児童の権利に関する条約」が正しい。同条約では、受動的権利のほかに、能動的権利を認めた。

答 3 児童手当

第 1 条に、児童の養育者に児童手当を支給することにより、家庭等における生活の安定に寄与し、健やかな成長に資することを目的とすると定めている。

答 4 2 か月

児童相談所が一時保護を行う期間は原則 2 か月以内であり、必要に応じて延長することができる（児童福祉法第 33 条 3 項及び 4 項）。

答 5 ×

「児童虐待の防止等に関する法律」では、児童虐待を、身体的虐待、性的虐待、心理的虐待、ネグレクトに該当する行為と定義している。

答 6 逆送（検察官送致）

家庭裁判所は、重い罪の事件について、調査の結果、刑事処分が相当と認めるときは、少年を逆送（検察官送致）する（少年法第 20 条 1 項）。

答 7 家庭支援専門相談員

その他、退所後の児童に対する継続的な相談援助（支援）や、里親委託及び養子縁組に関する支援なども行う。

社会福祉

社会福祉の考え方や、子ども・低所得者・高齢者・障害者に関する福祉の法律やサービスの内容など、社会福祉に含まれる各分野の内容を幅広く学ぶ科目です。

1 社会福祉とは？

1 社会福祉とは？

ふだんの生活のなかで「社会福祉」という言葉を耳にすることは多くても、“具体的には何を意味するものなのか？”と聞かれると、うまく答えられない人も多いのではないでしょうか。実は、さまざまな社会福祉の制度や機関にお世話になりながら、私たちの生活は成り立っています。

Check!

社会福祉ってどんなものがあるの？

保育サービス　障害者福祉　生活保護

介護サービス　社会保険

一般的に、これらを総称(そうしょう)して「社会福祉」と呼んでいます。

私たちは生まれてから死ぬまでの間で、必要に応じてこれらの制度やサービスなどを利用して生活をしています。今現在必要としていなくても、これから利用するかもしれないという点で、すべての人が社会福祉の**潜在的な利用者**(せんざいてき)であると言えます。つまり、社会福祉は私たちの生活と密接(みっせつ)に関連しながら、現代の多様なライフスタイルを支えているのです。

そのなかにあって、子どもに携(たずさ)わる専門職であり、地域の身近な相談者でもある**保育士**のもとには、家庭や家族に関するさまざまな相談がもちこまれます。そのため、子どもや子育てに関することだけでなく、高齢者や障害者の内容に至(いた)るまで、社会福祉についての幅広い知識を身につけておくことが望まれます。

2　社会福祉と日本国憲法

社会福祉に関する法律や制度は、**日本国憲法**の考え方をもとにつくられています。憲法の第 11 条では**基本的人権**を保障しており、そこには、平等権、自由権（学問、信教の自由などが侵されない）、社会権（生存権、教育を受ける権利、労働者の権利）、参政権（政治に参加する権利）などが含まれます。

そして、憲法第 25 条に示されるように、国民の**生存権**を保障するために、国はさまざまな法律や制度をつくって私たちの生活を支えています。

条文 check!

日本国憲法（生存権）

第 25 条　すべて国民は、健康で文化的な最低限度の生活を営む権利を有する。

3　ノーマライゼーションの視点

からだに障害があることや、子ども、高齢であることなどに関係なく、誰もが住み慣れた地域のなかで普通に暮らしていけるように社会や環境を整えていく考え方を**ノーマライゼーション**といいます。**バンク=ミケルセン**によって考えがまとめられ、**ニィリエ**によって広められました。

Check! ニィリエによるノーマライゼーション実現のために必要な視点

①一日のノーマルなリズム（を得る機会）
②一週間のノーマルなリズム（を経験する機会）
③一年間のノーマルなリズム（を経験する機会）
④ライフサイクルでのノーマルな経験（をする機会）
⑤ノーマルな個人の尊厳と自己決定権（が尊重、配慮される）
⑥その文化におけるノーマルな異性との生活（を送れる）
⑦その社会におけるノーマルな経済水準とそれを得る権利（がある）
⑧その地域におけるノーマルな環境形態と水準（がある）

2 社会福祉の歴史

1 イギリスの社会福祉の歴史

生活が貧しい国民（貧民）を救う公的（国や政府などが主体）な制度の代表的なものに、1601 年の**エリザベス救貧法**や 1834 年の新救貧法があります。

エリザベス救貧法は、貧民を**労働力**で分類し、**労働力**のある有能貧民には労働を強制し、**労働力**のない無能貧民は**救貧院**に収容しました。児童は徒弟奉公に出されましたが、乳児等は**無能貧民**として扱われました。救貧院には病気を抱えた者も多く、感染症などで多くの子どもが犠牲になったといわれています。

新救貧法では、３つの原則に基づいて救済が行われましたが、それが嫌な人には自力での対応を求める厳しいしくみでした。

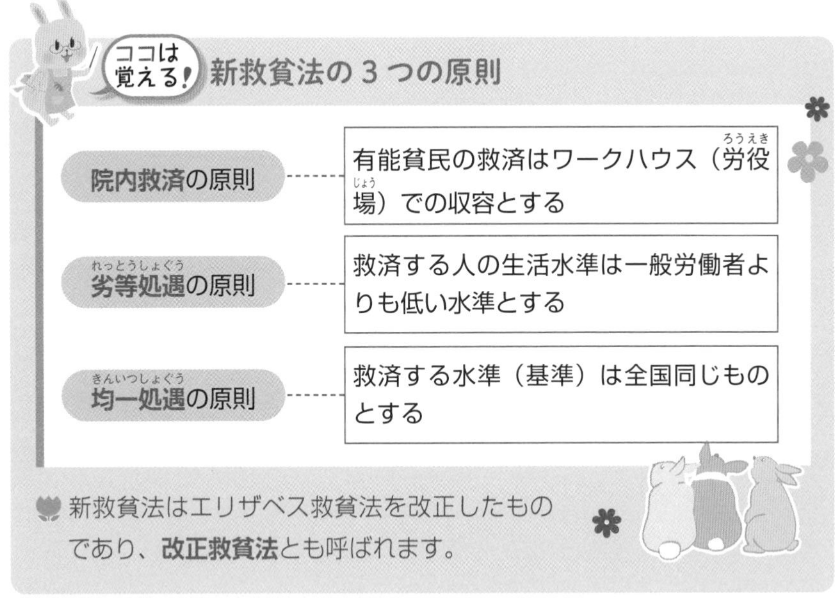

2 貧困調査

イギリスでは、19 世紀末から 20 世紀初めにかけて、貧困の原因を明らかにするための**貧困調査**が行われ、**ブース**は「ロンドン市の調査（1886 ～ 1902 年）」、ラウントリーは「ヨーク市の調査（1899 年）」を行いました。これらの調査では、ともに、**約３割**の市民が貧しい生活を送っていることがわかりました。そして、貧困の原因はギャンブルや飲酒、浪費癖といった個人的な要因よりも、労働条件が悪く賃金が低い、疾病（病気）にかかっている、高齢で働けない、子どもが多いなど、**社会・経済的な要因**によるところが大きいことを明らかにしました。

3　日本の社会福祉の歴史

（1）慈善事業の始まり

わが国における社会的な連帯感や倫理的な義務感による慈善事業の始まりは、593 年に**聖徳太子**（厩戸王）らが創立した敬田院（今でいうところのお寺、以下同じ）、悲田院（福祉施設）、療病院（病院）、施薬院（薬局）からなる**四箇院**であると伝えられています。

（2）江戸期の社会福祉

江戸期には老中の松平定信によって**七分積金制度**がつくられました。町ごとに町費を倹約させて、その額の 7 割（七分）を積み立てたことからこの呼び名がつけられました。積み立てたお金は、災害や物価高騰の際に使われたほか、生活に苦しむ貧しい人に支給する食べ物の購入費等にあてられました。

（3）明治期から昭和初期までの社会福祉

1874（明治 7）年には、公的な救貧制度である**恤救規則**が登場します。**恤救規則**による救済は「**人民相互ノ情誼**」による立場（身内や近所同士がお互いに助け合うべきとの立場）を強調しており、対象を「**無告ノ窮民**」（自分で助けを求めることができない極貧の人）に限定するなど、救貧制度とは名ばかりの形式的なもので、対象者も限定的なものでした。また、貧しい人を救済することを国の義務とするものではありませんでした。

その後、関東大震災や長引く不況によって貧困者が増大すると、恤救規則は廃止され、1929（昭和 4）年に**救護法**が制定されました。貧しい人を救済することを国の**義務**とした点は、恤救規則からの改善点といえます。しかし、親族のなかに扶養（世話）できる人がいる場合や、労働能力があっても仕事に就いていない人、ふだんから行いの悪い人などは救済の対象から外されるなど、限定的な救済であった点では課題を残しました。

3 社会福祉の法律

1 福祉六法とは？

第二次世界大戦後、社会福祉に関する多くの法律が登場します。昭和 20 年代に制定された**児童福祉法**、**身体障害者福祉法**、**生活保護法**をあわせて「福祉三法」と呼びます。これら福祉三法に昭和 30 年代に制定された**知的障害者福祉法**、**老人福祉法**、**母子及び父子並びに寡婦福祉法**の三法をあわせて「福祉六法」と呼びます。

2 その他の社会福祉に関する法律

社会福祉を目的とするすべての事業に共通する基本的な内容を定めているのが**社会福祉法**です。福祉サービスの質の確保や、地域における社会福祉の推進などについて定めています。このほかの近年成立・改題された主な法律には、高齢者の介護に対応する**介護保険法**、障害者や障害児の支援に対応する障害者の日常生活及び社会生活を総合的に支援するための法律（**障害者総合支援法**）があります。

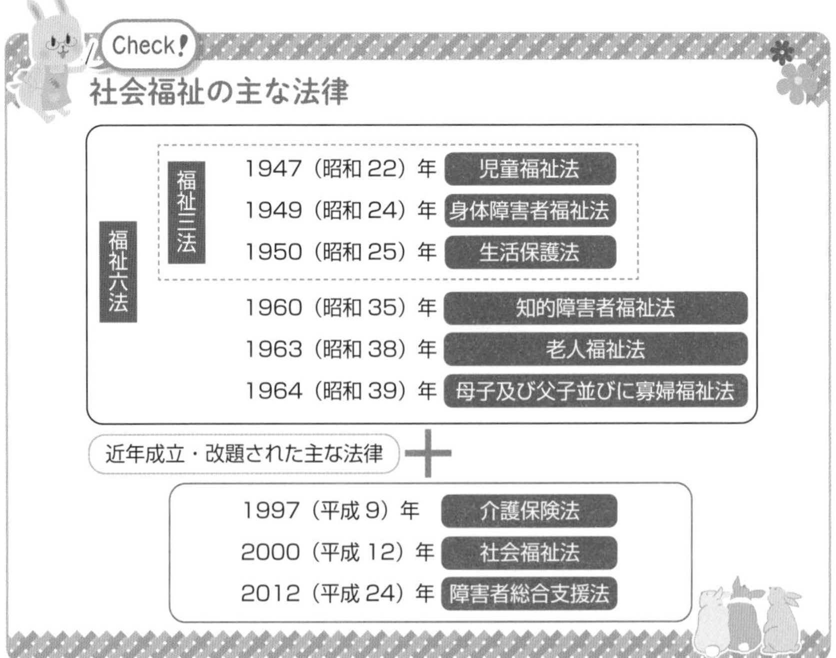

3 社会福祉事業とは？

社会福祉を行う事業は、社会福祉法のなかで**第一種社会福祉事業**と**第二種社会福祉事業**に分けられています。

第一種社会福祉事業とは、支援を必要とする人の人権の尊重・保護に大きく影響を与える事業のことをいいます。主に、施設が生活の場となる入所型の施設があてはまります。経営できる主体（組織）は、原則として**国**や**地方公共団体**、**社会福祉法人**に限られています。

第二種社会福祉事業とは、その事業を行うことが社会福祉の増進に役に立つものであり、なおかつ国の監督や規制の必要性が比較的小さい事業のことをいいます。主に、自宅から通う通所型と利用型の施設があてはまります。事業者ごとの特色を出してもらう点から経営できる組織に制限はなく、届出を行うことで事業を経営することができます。

◉児童福祉施設の種別と対象児童

	対象となる児童	施設の種別
入所施設	養育環境上に課題がある児童	○ **乳児院** ○ **児童養護施設** ○ 母子生活支援施設
入所施設	身体・知能面に課題がある児童	○ 障害児入所施設
入所施設	情緒・行動面に課題がある児童	○ **児童心理治療施設** ○ **児童自立支援施設**
通所施設（機能）	身体・知能面に課題がある児童	● 児童発達支援センター
通所施設（機能）	情緒・行動面に課題がある児童	○ 児童心理治療施設（通所） ○ 児童自立支援施設（通所）
通所施設（機能）	その他、社会的養護に含まれる施設	● **保育所** ● 幼保連携型認定こども園
利用施設	その他、社会的養護に含まれる施設	● 助産施設 ● **児童厚生施設** ● 児童家庭支援センター

施設種別の○印…第一種社会福祉事業　●印…第二種社会福祉事業

4 生活保護

1 生活保護の目的

国民の**生存権**を守り、健康で文化的な最低限度の生活を保障するためのしくみとして、生活保護があります。生活保護には、①生活が**経済的**に苦しく自分たち（世帯）の力では生活できない人を救済すること（生活の保障）、②救済を通して世帯全員の自立を助けること（**自立の助長**）の２つの目的があります。

したがって、生活保護とは単にお金や物を支給して生活を補うだけのしくみではなく、自立に向けてその世帯のもつ力を引き出して、健康で文化的な生活を送れるように手助けしていくしくみでもあります。生活保護については、「生活保護法」にその内容が規定されています。

2 生活保護のしくみ

生活保護を担当する窓口は、市町村の**福祉事務所**です。生活保護は、性別や社会的身分、生活が苦しくなった原因を問わず、経済状況に着目して**無差別平等**に保護が行われること（**無差別平等**の原理）など、４つの基本原理と４つの基本原則の考えにしたがって運用されています。生活保護の申請をすると財産状況の確認（**資力調査**）などが行われ、現在、保護が必要な状態にあるかどうかが判断されます。

ココは覚える! 生活保護の基本原理と基本原則

基本原理	基本原則
国家責任の原理	**申請保護**の原則
無差別平等の原理	基準及び程度の原則
最低生活保障の原理	必要即応の原則
保護の補足性の原理	**世帯単位**の原則

生活状態は、世帯全体にあらわれることから、保護は**世帯**単位で行われます。

3　生活保護の扶助の種類は？

生活保護には、**生活扶助**、**教育扶助**、**住宅扶助**、**医療扶助**、**介護扶助**、**出産扶助**、**生業扶助**、**葬祭扶助**の８つの扶助があります。このうち１つだけを受けることを単給、２つ以上の扶助を受けることを併給といいます。

生活保護では、物や各種のサービスによって支給されることを**現物給付**、お金によって支給されることを**金銭給付**といいます。医療扶助と介護扶助は医療機関や介護保険施設等において医療行為や介護行為が直接提供される（支給される）**現物給付**が原則です。それ以外の６つの扶助については必要な経費がお金で支給される**金銭給付**が原則となっています。

4　各扶助の支給で間違えやすいもの

高等学校やその就学に準ずる専修学校・各種学校は義務教育ではないため、その諸経費は教育扶助では支給されません。しかし、自立を支える観点から、**生業扶助**の「高等学校等修学費」として学用品費や教材代などが支給されています。このほかに、各扶助の支給で間違えやすいものには、**教育扶助**として「義務教育の学校給食費」が支給されること、**住宅扶助**として「アパートの敷金、礼金、不動産手数料」が支給されることなどがあります。

Check!

生活保護の扶助の内容

生活扶助	日常生活用品の購入費、光熱費など
教育扶助	**義務教育**に必要な物品や諸経費
住宅扶助	家賃、住宅修繕費用など
医療扶助	医療（診察・薬・治療費）、手術費など
介護扶助	介護保険法に示す制度の自己負担費用
出産扶助	出産（分娩）に必要な費用（衛生材料費を含む）
生業扶助	**生業**に必要な資金、技能修得のための費用（修得費）など
葬祭扶助	**葬祭**に必要な費用（火葬、埋葬、葬儀費用など）

5 社会保障制度

1 社会保障制度とは？

社会保障制度は、私たちの生活を生涯にわたって網の目のように支えています。日本の社会保障制度は、**社会保険**、**社会福祉**、**公的扶助**、**保健医療・公衆衛生**から成り立っています。

社会保障制度

社会保険（医療・年金・介護等）

社会福祉

公的扶助

保健医療・公衆衛生

2 社会保険とは？

社会保険には、病気やケガに備えて加入する**医療保険**、老後や障害を負ったときなどに年金を支給する**年金保険**、仕事上のケガや失業時の補償に備える**労働保険**、加齢に伴い介護が必要な状態になったときに備えて加入する**介護保険**があります。介護保険については次で詳しく紹介しますので、ここではそれ以外の３つの保険についてみていきましょう。

3 医療保険

日本では国民皆保険制度をとっており、国民には医療保険への加入が**義務**づけられています。この医療保険は、職域保険と地域保険、後期高齢者医療制度に分けられます。

職域保険には、主に大企業の労働者が加入する組合管掌健康保険、中小企業の労働者が加入する**全国健康保険協会管掌健康保険**、公務員や私立学校に勤める教職員が加入する共済組合保険、船員保険などがあります。

一方の地域保険の主なものとして職域保険の対象とならない自営業者などが加入する**国民健康保険**があり、2018（平成 30）年度からは、都道府県と市町村が共同保険者となって運営されています（財政運営の責任主体は都道府県）。

後期高齢者医療制度は、**75** 歳以上の高齢者や、**65** 歳以上 **75** 歳未満で寝たきりなどの一定の障害の状態にある人が加入しています。

4 年金保険（公的年金）

日本では、国民皆年金制度（かいねんきんせいど）をとっており、国内に住む 20 歳から 60 歳未満の人は、公的年金への加入が義務づけられています。

これまで、公的年金には、国民年金、厚生年金、共済年金がありましたが、年金制度の統一によって共済年金の加入者は**厚生年金**に加入することになりました。これに伴い、現在、公的年金は**国民年金**（**基礎年金**）と**厚生年金**からなる構造になっています。

自営業者などは**国民年金**に加入し、第 1 号被保険者と呼ばれます。民間企業で働いている会社員や公務員、私立学校に勤める教職員などは、**国民年金**と**厚生年金**に加入し、第 2 号被保険者と呼ばれます。第 2 号被保険者に扶養されている妻（配偶者）は**国民年金**に加入し、第 3 号被保険者と呼ばれます。

◉公的年金の主な構造

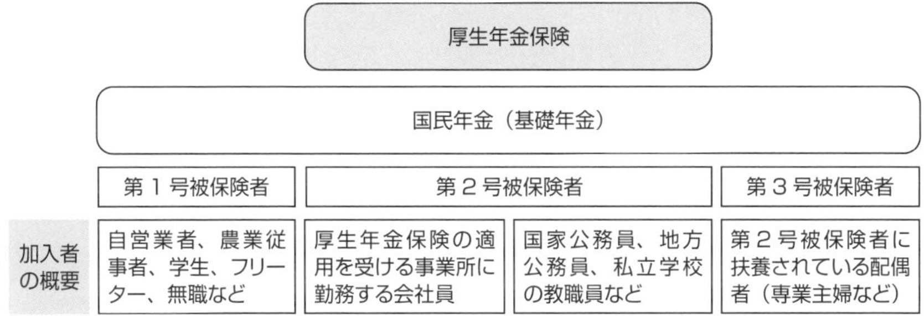

5 労働保険

労働者災害補償保険（労災保険）と雇用保険は、労働者が安心して働ける環境を確保するための保険であり、**労働保険**と呼ばれています。

労災保険は、①仕事中の死亡・ケガ（業務災害）、②通勤中の死亡・ケガ（通勤災害）に対応するために、雇い主である会社が保険料の全額を負担しています。従業員を 1 人でも雇う企業は、労災保険に加入する義務があります。

雇用保険は労働者の生活や雇用の安定などを目的に、失業した人や教育訓練を受ける人に失業等給付などを行う制度です。国が保険者であり、保険料は会社（企業）と労働者が半分ずつを負担する労使折半（ろうしせっぱん）となっています。

6 高齢者保健福祉

1 高齢化とは？

総人口に占める**65**歳以上人口の割合を高齢化率といい、高齢化率が高くなることを**高齢化**といいます。高齢化率が7%以上14%未満の社会を**高齢化社会**、14%を超える社会を**高齢社会**、21%を超える社会を**超高齢社会**といいます。日本は1970（昭和45）年に高齢化社会、1994（平成6）年に高齢社会、2007（平成19）年に超高齢社会を迎えています。

2 介護保険制度のしくみは？

1997（平成9）年に成立した**介護保険法**に基づいて、2000（平成12）年に介護保険制度が施行されています。介護保険制度は、老後の介護問題を社会全体で支えるしくみとして、介護が必要な状態になっても**自立した日常生活**を営むことができるように支援することを目的に導入されました。制度上、保険サービスの実施者を「保険者」、保険の加入者を「被保険者」といいます。

介護保険制度は、地域の住民に最も身近な自治体（**市区町村**）が保険者であり、**65**歳以上の人を第1号被保険者、**40**歳以上**65**歳未満の医療保険加入者を第2号被保険者といいます。なお、制度を運用していくための財源は、利用者の負担額を除く残りを、被保険者からの保険料**50%**、公費**50%**の割合で負担しています。

3 介護保険制度のサービス利用の流れ

介護保険制度では、**65歳以上**で日常生活上の支援が必要な人は、まず、**市区町村**の介護保険を取り扱う窓口に申請をして要介護・要支援の認定を受けます。その後、居宅介護支援事業者に依頼するなどして介護サービス計画（**ケアプラン**）を作成することで、必要なサービスが利用できるようになります。介護サービスを受けた利用者は、利用したサービスに応じて、要した費用の原則1割を自己負担します（これを**応益負担**といいます）。

介護サービスを利用したいときは
市町村の窓口に行けばいいんだね。

◉介護保険制度の流れ

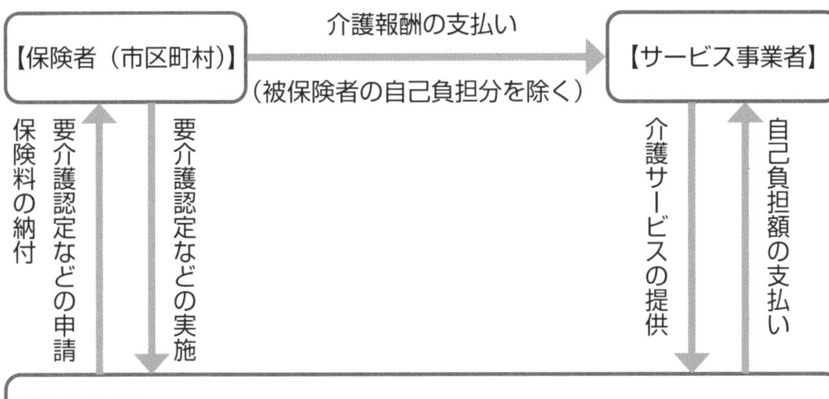

【被保険者】

第 1 号被保険者　（65 歳以上）

第 2 号被保険者　（40 歳以上 65 歳未満）*

*第 2 号被保険者が介護保険制度によるサービスを利用できるのは、老化を原因に発症した脳血管疾患などの「特定疾病」によって介護が必要であると認定された場合に限る。

4　介護の現状と課題

「介護保険事業状況報告の概要（令和 5 年 12 月暫定版）（厚生労働省）」によると、2023（令和 5）年 12 月末現在、要介護・要支援認定者数は、約 708.1 万人（男性 226.2 万人、女性 481.9 万人）です。第 1 号被保険者に占める 65 歳以上の認定者の割合は約 19.4%であり、高齢者の約 5.2 人に 1 人が要介護や要支援の認定を受けている計算になります。一般的に、要介護の認定を受けた人を**要介護者**、要支援の認定を受けた人を**要支援者**、これらをあわせて**要介護者等**と呼びます。

介護者（介護する人）の状況を介護状況についての最新調査である「2022（令和 4）年 国民生活基礎調査の概況（厚生労働省）」でみると、要介護者等との「**同居**」が 45.9%と最も多く、「事業者」は 15.7%です。「同居」の場合の主な介護者は「**配偶者**」が 22.9%で最も多く、次いで「**子**」16.2%、「**子の配偶者**」5.4%となっています。また、要介護者等と同居している主な介護者の年齢は、男性の 75.0%、女性の 76.5%が 60 歳以上であり、高齢者（老人）が高齢者（老人）を介護する状況から名づけられたいわゆる「**老老介護**（ろうろうかいご）」のケースも数多く存在しています。

7 障害者福祉

1 国際障害分類（ICIDH）による障害の考え方

障害とは、目がみえない、手足が不自由であるといった医学的・生物学上の特徴をいいます。1980（昭和55）年に、WHO（世界保健機関）が障害を社会との関わりのなかからとらえて整理・分類したものに**国際障害分類**（こくさいしょうがいぶんるい）（ICIDH：International Classification of Impairments, Disabilities and Handicaps）があります。

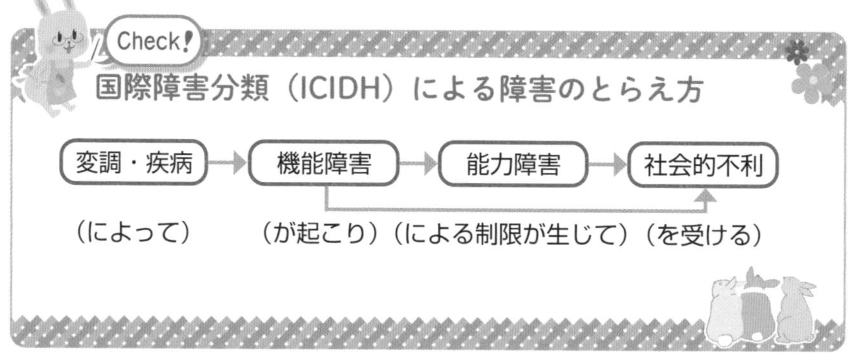

2 国際生活機能分類（ICF）による障害の考え方

国際障害分類では、障害に対して否定的な印象を与えがちな用語を使用していることや、障害を個人の問題としてとらえる図式であることなどへの批判（ひはん）がありました。これらの指摘を受けて、WHOは2001（平成13）年に「生活機能」面を重視した**国際生活機能分類**（こくさいせいかつきのうぶんるい）（ICF：International Classification of Functioning, Disability and Health）を発表しました。

●国際生活機能分類（ICF）による障害のとらえ方

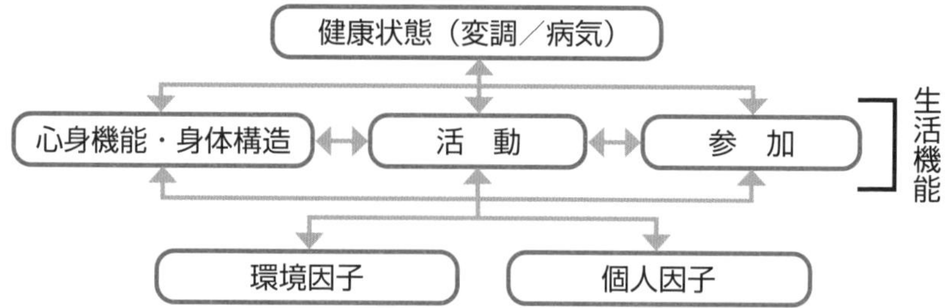

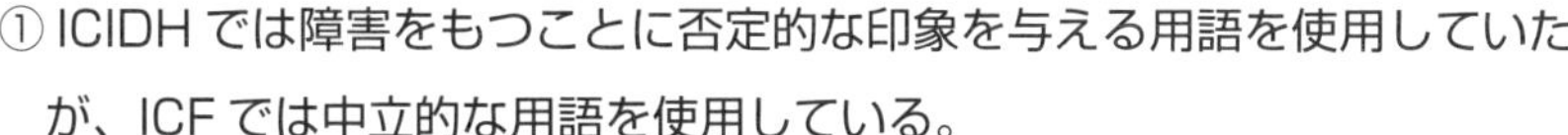

ICIDH から ICF へ（特徴）

① ICIDH では障害をもつことに否定的な印象を与える用語を使用していたが、ICF では中立的な用語を使用している。

② ICIDH にはなかった「**環境**因子」「**個人**因子」が加わったことにより、ICF では障害以外の特徴もふまえて全体像をとらえている。

③ ICIDH が**一方通行**の因果関係であるのに対して、ICF ではそれぞれの構成要素がお互いに影響しあう**双方向型**の視点でとらえている。

3 障害者基本法

障害者基本法は、すべての国民が障害の有無で差別されることなく、お互いに人格と個性を尊重しあいながら**共生**する社会の実現を目指して制定された法律です。障害者に対する差別の禁止や、障害者の自立、社会参加の支援に関する施策の基本原則などを定めています。

4 発達障害者支援法

発達障害とは「**自閉症、アスペルガー症候群**その他の**広汎性発達障害、学習障害、注意欠陥多動性障害**その他これに類する脳機能の障害であってその症状が通常**低年齢**において発現するもの」をいいます。発達障害者支援法では、これらの障害によって日常生活や社会生活に制限を受ける人を発達障害者、そのうち 18 歳未満の者を発達障害児と定義しています。

5 身体障害者補助犬法

身体障害者補助犬とは、**盲導犬**、**聴導犬**、**介助犬**のことをいいます。補助犬は、目や耳、手足が不自由な人の自立と社会参加を支えています。

身体障害者補助犬法では、市役所などの公共施設や、電車やバスなどの公共交通機関、スーパーマーケットやレストラン、ホテルなど**不特定多数の人が利用する施設**などに、原則として補助犬同伴の受け入れを**義務づけ**ています。

8 社会福祉の専門職

1 社会福祉士

「社会福祉士及び介護福祉士法」に定められる**名称独占**（めいしょうどくせん）の国家資格です。社会福祉士は、ソーシャルワークの知識・技術を活用して、相談・助言・指導、**福祉サービス関係者等**との連絡・調整などを行う専門職です。

社会福祉士が受ける相談は、子ども家庭福祉、高齢者福祉、障害者福祉、社会保障をはじめとして、幅広い分野を対象としています。主な職場には、社会福祉施設を中心に、社会福祉協議会、医療機関などがあげられます。

学校教育法施行規則の改正に伴い、2017（平成29）年度からスクールソーシャルワーカーの小学校、中学校、高等学校等における職務内容が法的に位置付けられました。この役割を担う主な基礎資格が、社会福祉士などの国家資格です。

2 介護福祉士

社会福祉士とともに「社会福祉士及び介護福祉士法」に定められる**名称独占**の国家資格です。介護福祉士は、身体などに障害があるために日常生活に不自由がある人に対して**心身の状況**に応じた介護を行うほか、介護が必要な人やその介護者に**介護に関する指導**を行うなど、身体介護や生活支援を必要とする利用者の**自立を支える**専門職です。

主な職場には、訪問介護（ホームヘルプサービス）・通所介護（デイサービス）をはじめとする**居宅サービス**や、介護老人福祉施設や介護老人保健施設などの**施設サービス**を提供する施設・事業所があげられます。

3 精神保健福祉士

「精神保健福祉士法」に定められる**名称独占**の国家資格です。精神保健福祉士は、精神障害者の**社会復帰**に関する相談・助言・指導などを行います。精神障害によって生じた**生活課題**への対応や、福祉制度の利用支援、医療機関からの**退院支援**などを行う専門職です。

主な職場には、精神科を設置している医療機関や精神障害者が利用する生活支援施設などがあげられます。

きをつけよう！

社会福祉に関わる主な専門職

資格・免許の名称	種　類
医師	**名称独占・業務独占**
看護師	名称独占・業務独占
保育士	**名称独占**
社会福祉士	**名称独占**
介護福祉士	名称独占
精神保健福祉士	名称独占

4　名称独占、業務独占、任用資格とは？

名称独占とは、保育士などをはじめとする、資格・免許の名称使用に関する規制のことをいいます。必要な登録を行うことで、その資格・免許の名称を名乗ることができるようになります。このように、名称独占というのは名称の**使用**に関する規制であって、保育や介護などの行為そのものを制限するものではありません。

業務独占とは、根拠となる法律（根拠法）に基づいて資格・免許を取得し、決められた手続きを経て登録を受けた者だけに、その業務（医療行為など）を認める規制のことをいいます。業務独占の資格・免許には医師や看護師などがあります。資格・免許のない人がこれらの業務を行うと、根拠法に基づいて**懲役刑**や**罰金刑**が科せられます。

国家資格や免許のほかに、任用資格があります。任用資格とは、ある一定の要件を満たすことでその資格があるとみなされる資格です。代表的なものに**社会福祉主事**、**児童福祉司**などがあります。公務員として採用された後に、特定の職種に任用されるときに求められるものであり、その際にこれらの名称を名乗ることができます。

児童福祉司は児童相談所で
福祉に関する仕事をしているよ。

9 相談援助

1 相談援助とは？

生活のなかで生じるさまざまな課題に対応するために社会福祉分野で用いられる相談援助の技術・方法を**ソーシャルワーク**といいます。

ソーシャルワークを用いた働きかけは、①**人**（当事者）、②**環境**の双方に行われます。その理由は、人の生活は環境と密接につながっていることから、①、②の相互関係からみていく必要があるためです。支援を行う際には、当事者が生活課題を解決できるように**成長を促す**とともに、生活課題解決のために専門機関や専門職などのさまざまな**社会資源**を活用していきます。

ソーシャルワークを用いた働きかけを行う専門職を**ソーシャルワーカー**、生活課題を抱えた相談者のことを**クライエント**、クライエントの抱えた生活課題を**ニーズ**といいます。保育場面での相談援助では、**バイステック**が整理した7つの原則（**ケースワークの原則**ともいいます）に基づいた関わりが大切になります。これらは、クライエントとソーシャルワーカーとの間に**信頼関係**（**ラポール**）を築く上で欠くことのできない大切な視点です。

Check!

バイステックの7原則

①**個別化**	一人ひとりをそれぞれ異なる存在として認める
②**意図的な感情表出**	クライエントが自由に感情の表現（否定的な感情を含む）ができるようにする
③**統制された情緒的関与**	ソーシャルワーカーは自分の感情を知り、ひとりよがりな感情に沿った対応にならないようにする
④**受容**	クライエントの好感のもてる態度、もてない態度などすべてを含めてありのままを受け止める
⑤**非審判的態度**	クライエントに責任があるのかなどの善悪を判断しない
⑥**自己決定**	クライエント自らが選択して決定する権利を尊重する
⑦**秘密保持**	クライエントに関する情報を他人にもらさない

2 相談援助（ソーシャルワーク）の種類

クライエントにソーシャルワーカーが直接的に関わる支援を**直接**援助技術といいます。直接援助技術には、一人ひとりのクライエントのニーズに対応することを目標に行われる個別援助技術（ケースワーク）や、グループの力を活用してメンバーの成長を促したり、課題の解決を目指したりする集団援助技術（グループワーク）などがあります。このほかに、側面から間接的に支援する**間接**援助技術、直接援助技術や間接援助技術を展開する際に活用することで、より充実した支援を可能にする**関連**援助技術があります。

3 相談援助（ソーシャルワーク）の展開

ケースワークを例に取ると、相談援助（ソーシャルワーク）は次のような過程を経て展開されます。

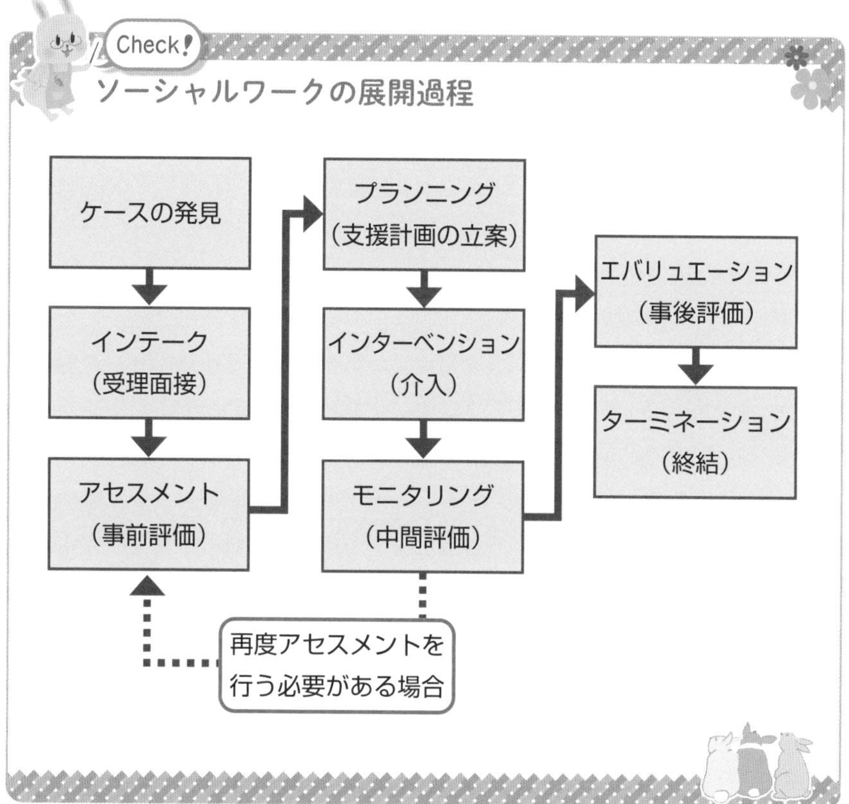

ここでチャレンジ！

一問一答で確認してみましょう。○×を答えてね。
ただし、（　★　）は穴埋め問題です。入る言葉を答えましょう。

問 1
check! □□

心身に障害があったり高齢であっても、誰もが地域のなかで普通に暮らしていける社会をつくるために社会や環境を整えていく考え方を（　★　）という。

問 2
check! □□

イギリスで行われた貧困調査において、ブースはロンドン市、ラウントリーはヨーク市を調査した。

問 3
check! □□

生活保護の医療扶助及び葬祭扶助は、現物給付が原則である。

問 4
check! □□

日本に住所を有する 20 歳以上 65 歳未満の人は、公的年金に加入する義務がある。

問 5
check! □□

要介護者が介護サービスを利用した場合などに、所得に基づく負担ではなく、利用したサービスに応じて要した費用の一部を負担するしくみを（　★　）という。

問 6
check! □□

保育士、社会福祉士、精神保健福祉士は、いずれも業務独占の国家資格である。

問 7
check! □□

ケースワークの過程は、「①ケースの発見→②インテーク→③アセスメント→④プランニング→⑤インターベンション→⑥モニタリング→⑦エバリュエーション→⑧ターミネーション」の順に展開される。

check!

/7 /7

答 1 ノーマライゼーション

学校への障害児の受け入れ、障害者の雇用、路上の点字ブロックの設置や段差の除去、建物内外のスロープや手すりの設置など、その形はさまざまである。

答 2 ○

ブースとラウントリーの調査では、貧困の原因は、個人的な要因にあるのではなく、社会・経済的な要因によるところが大きいことが明らかとなった。

答 3 ×

現物給付を原則とするのは医療扶助と介護扶助である。その他の生活扶助、教育扶助、住宅扶助、出産扶助、生業（せいぎょう）扶助、葬祭扶助は金銭給付を原則とする。

答 4 ×

原則として、20 歳以上 60 歳未満のすべての人が公的年金制度の対象であり、加入が義務づけられている。これを国民皆年金（かいねんきん）という。

答 5 応益負担（おうえきふたん）

所得による区分ではなく、利用したサービスに要した費用の一定比率（定率）を負担するしくみをいう。その特徴から定率負担ともよばれる。

答 6 ×

いずれも名称（めいしょう）独占の国家資格である。登録を行うことで、その資格の名称を名乗ることができるようになる。

答 7 ○

モニタリングの結果、支援の効果が薄い、あるいは効率が悪い場合には、アセスメントの段階に戻って評価をやり直すこともある（再アセスメントという）。

教育原理

ここでは「教育を受ける者」から「教育する者」になるために、教育に関する基本的な事柄を学びます。

1 教育とは？

1 「教育を受ける者」から「教育する者」へ

私たちは子どもの頃から教育(きょういく)を受けてきました。私たちにとって教育は、なじみのあるものです。しかし、教育の基本的な事柄について、何をどれだけ知っているでしょうか？

「**教育を受ける者**」から「**教育する者**」になるには、教育の基本について知っておく必要があります。ここでは教育、特に幼児教育に関する基本的な事柄について学んでいきましょう。

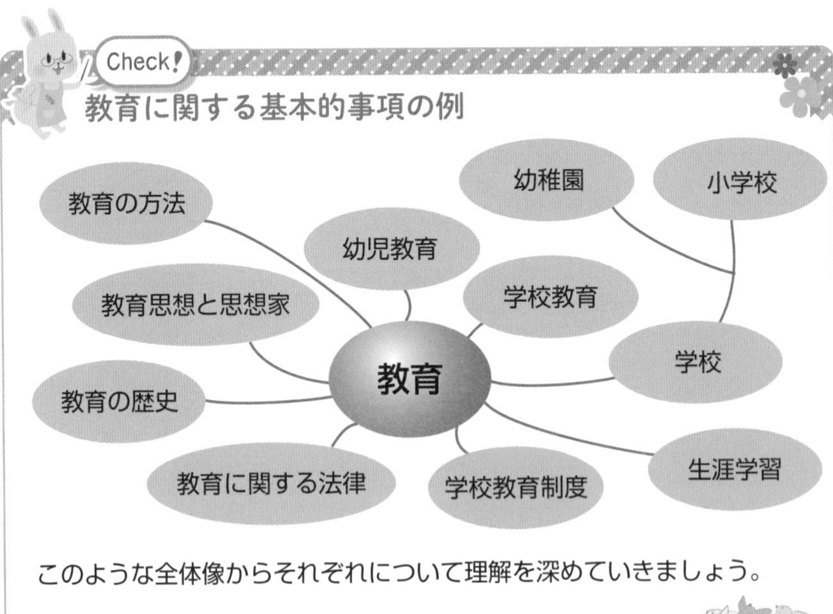

2 教育と学習

教育とはどのような営みでしょうか。教育とは、ある人が他のある人に対し、価値のある方向に向けて、その**人間形成**を助長しようと意図的に働きかける営みです。つまり、教育は「教育する者」と「教育を受ける者」という2つの関係があって成り立ちます。そして、「教育する者」が「教育を受ける者」に対して、「こうなってほしい」といった願いをもち、その願いが達成されるよう、**意図的・計画的**に行っていくことが教育です。

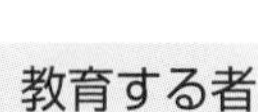

教育を受ける者

一方、学習は「教育する者」がいなくても成り立ちます。例えば独学で外国語を学習する人もいるでしょう。また、小説を読んだり映画を観たりするなかで何かを学んでいることもあれば、ある人の生き方から多くを学ぶこともあります。つまり、**学習**は一人でもできるのです。本書を使って保育・幼児教育を学んでいるあなたも、学習しているということになります。

3 保育所や幼稚園における教育の機能の重要性

教育というと、小学校以降の学校教育や家庭教育を思い浮かべる人が多いかもしれません。けれど、近年では保育所や幼稚園における質の高い**幼児期の教育**が求められています。幼児期の教育は、子どもの生涯にわたる**人間形成**の基礎をつくるものとして重要な意義をもつからです。

また現在、核家族化の進行や地域社会の解体を背景に、家庭や地域の子育て力が低下しているともいわれています。そこで、保育所や幼稚園における教育の機能が強く求められているのです。

4　環境を通して行う幼児期の教育

現在、わが国の保育所や幼稚園では幼児にどのような教育を行っているのでしょうか。小学校のように、子どもが椅子に座り、先生がひらがなや計算を教えるといった授業を行っているのではありません。幼児は**遊び**や**生活**のなかで、虫や葉、雲や風、積み木や滑り台などさまざまなものに興味を示し、「触ってみたい！」「自分でやりたい！」と何にでも挑戦していきます。そのなかで、靴をはけるようになったり、はさみを使えるようになったり、自然の美しさや面白さを感じるようになっていくのです。

このように、幼児は遊びや生活を通してさまざまなことを学んでいきます。そこで、幼児期の教育では、幼児が自分から周囲のものごとに直接関わることを通して、充実感や満足感を味わうという直接的な体験を重視します。

幼児の身近にあるものごと、例えば人、自然、物、空間、時間などのことを「**環境**」といいます。幼児が身近な環境に興味や関心をもてるように、そして発達に必要な体験を得られるように、保育者は計画的に環境を整える必要があります。幼稚園や保育所では「**環境を通して行う教育**」を重視しているのです。

幼児期の教育はさまざまな環境を通して行います

保育者は、幼児が興味や関心をもてるように環境を構成します。

2 幼児教育の基本

1 幼稚園教育要領

小・中・高等学校では文部科学省によって定められた「**学習指導要領**」に基づいて授業の計画を立て、授業を展開します。学年や学校などの段階に合わせた教育内容が定められているのです。

では、保育所や幼稚園ではどうでしょう。保育所では「**保育所保育指針**」、幼稚園では「**幼稚園教育要領**」、認定こども園では「幼保連携型認定こども園教育・保育要領」に従って保育・教育が行われます。ここでは「幼稚園教育要領」について学びましょう。

Check!

「幼稚園教育要領」にはこんなことが定められています

前文

第１章　総則

第１　幼稚園教育の基本

第２　幼稚園教育において育みたい資質・能力及び「幼児期の終わりまでに育ってほしい姿」

第３　教育課程の役割と編成等

第４　指導計画の作成と幼児理解に基づいた評価

第５　特別な配慮を必要とする幼児への指導

第６　幼稚園運営上の留意事項

第７　教育課程に係る教育時間の終了後等に行う教育活動など

第２章　ねらい及び内容

・健康　・人間関係　・環境　・言葉　・表現

第３章　教育課程に係る教育時間の終了後等に行う教育活動などの留意事項

など

いろんなことが
定められているんだね。

2 幼稚園教育の基本は？

幼児期における教育は「生涯にわたる**人格形成**の基礎を培う重要なもの」です。幼児期の子どもは、身体がぐんぐん大きくなり運動機能が発達し、大人や友達の様子をみてまねをするなかで、いろいろなことができるようになり、自分からさまざまなことに挑戦していきます。そのような幼児期の特性をふまえ、幼児教育は、「**環境**を通して行う」ことを基本とします。また、保育者は「**主体的**な活動」「**自発的**な活動」「幼児期における**遊び**」「一人ひとりの**特性**」などを重視します。

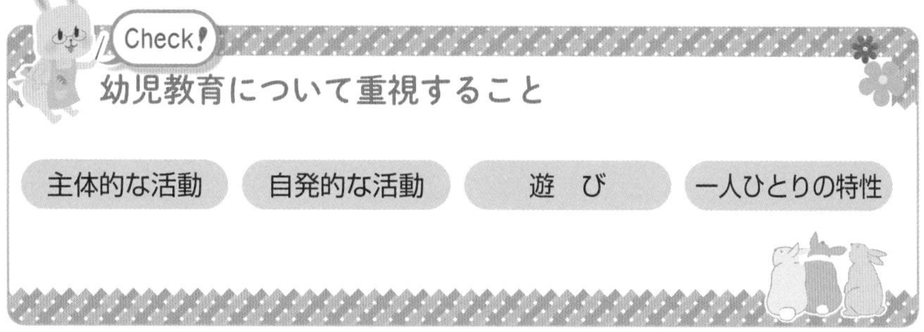

3 教育課程と指導計画

保育者の仕事は、子どもと遊ぶだけではありません。保育者は、教育の目標やねらいを立てて、何を、いつ、どのように進めていくかといったことを計画し、必要なものを準備しているのです。

幼稚園の保育計画には、大きく分けると「**教育課程**」と「**指導計画**」があり、「指導計画」には年・期・月などの「**長期**の指導計画」と週・日などの「**短期**の指導計画」があります。

「教育課程」とは入園から幼稚園修了（卒園）までの全体を見通したもので、幼稚園の教育目標に向かって子どもがどのような道筋をたどっていくかを明らかにした**全体的な計画**です。『幼稚園教育要領』には、幼稚園の教育課程に係る教育週数は 1 年間に **39** 週を下回ってはならないこと、1 日の教育時間は **4** 時間を標準とすることが示されています。また「指導計画」では、教育課程に基づいて、ねらいや内容、活動の展開、環境構成、保育者の援助などを**具体化**していきます。そして、反省や評価を行うなかで、「指導計画」を改善し次の日の保育に活かしていきます。

4 ねらいと内容

幼稚園教育の目標は、学校教育法第 23 条に規定されています。保育者はその目標を達成するために、子どもの育ちの方向を示した「5 領域(りょういき)」を理解しておく必要があります。5 領域とは、幼児の発達の側面から「**健康**」「**人間関係**」「**環境**」「**言葉**」「**表現**」という 5 つの領域に分けて示したものです。

また、5 領域それぞれに、幼稚園教育において育みたい資質･能力である「ねらい」と、ねらいを達成するために保育者が指導し、幼児が経験することが望まれる「内容」が示されています。

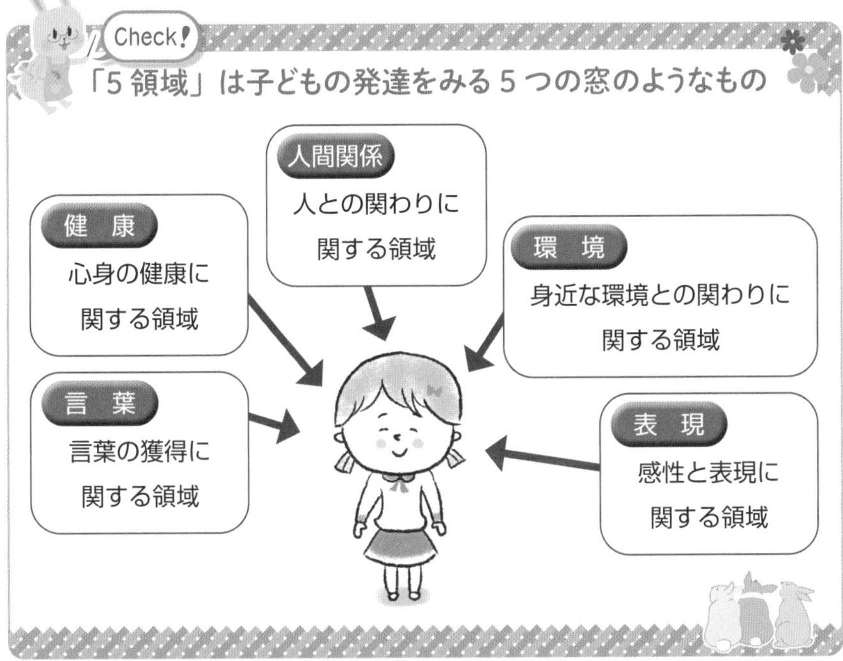

5 教育課程に係る教育時間の終了後等に行う教育活動

「教育課程に係る教育時間の終了後等に行う教育活動」とは、通常の教育時間の前後や長期休業中に行う活動のことです。幼稚園での 1 日の教育時間は 4 時間を標準としていますが、朝や夕方、また夏休みなどの長期休業期間中に、希望者を対象に教育活動を行っている幼稚園が増えています。このような教育活動は、子育て中の保護者や仕事をもつ保護者などに必要な支援です。

3 教育に関する法律など

1 教育に関する法律

世界を見渡すと、今でも教育を受けることのできない子どもたちは大勢います。しかし、わが国では日本国憲法(けんぽう)第 26 条で、すべての人の**教育を受ける権利**を保障しています。また、大人の勝手な都合などで子どもが学校に行けないということのないように、子どもの**保護者**に対して、子どもに普通教育を**受けさせる義務**を定めています。教育に関する法律は他に教育基本法や学校教育法などがありますが、すべてこの憲法第 26 条に基づいています。

「教育基本法」ではわが国の教育の目的や理念(りねん)、それを支える教育行政など、「学校教育法」では学校の目的や教育目標、教科、教員などについて定められています。

条文 check!

日本国憲法

第 26 条　すべて国民は、法律の定めるところにより、その能力に応じて、ひとしく教育を受ける権利を有する。

2　すべて国民は、法律の定めるところにより、その保護する子女に普通教育を受けさせる義務を負(お)ふ。義務教育は、これを無償(むしょう)とする。

ココは覚える！　教育を受ける権利

憲法は、乳幼児、児童、生徒などの子どもだけではなく、高齢者を含む成人など、すべての国民の**教育を受ける権利**を保障

憲法の精神にのっとり、「教育基本法」においてもすべての国民の教育を受ける機会について示されています。

2 子どもの人権に関する条約など

保育者は、子どもの**最善の利益**を考慮し、子どもが安心して過ごせるように配慮しなければなりません。例えば、汚くて暗い部屋では、子どもは安心して過ごせません。また、力の強い大人が子どもの前に立ちはだかったら、子どもはおびえてしまい、周囲のものごとに興味や関心を抱くことなどできません。そこで、子どもの人格や人間的権利を保障するための憲章や条約があります。

きをつけよう！

児童憲章	すべての児童の幸福をはかるため、1951（昭和 26）年 5 月 5 日に制定。日本最初の子どもの権利宣言ともいわれる
児童の権利に関する条約	子どもの人権に関する国際的条約。1989（平成元）年に国連総会で採択され、1994（平成 6）年に日本政府が批准

3 家庭や地域住民、関係機関との連携

子どもの教育を担うのは、幼稚園や保育所だけではありません。「教育基本法」には子どもの教育に対する**保護者の責任**が示されています。そこで、保育者は、子どもの様子や教育の方針を保護者と共有したり、保護者に必要な情報を伝えたりしながら家庭と連携していく必要があります。また、子どもがさまざまな体験の機会を得るためには、地域住民の協力が欠かせません。保育所は、家庭や地域住民、関係機関と連携していくよう法律に定められています。

核家族化が進む現代では、幼稚園や保育所、家庭や地域住民、関係機関などが連携し、みんなで子どもを育てていくことが大切なのです。

Check!

関係機関にはこんなものがあります

児童相談所、**福祉事務所**、市町村相談窓口、市町村保健センター、児童委員・主任児童委員、療育センター、小学校、教育委員会、児童館、**家庭的保育**（保育ママ）、ファミリー・サポート・センター事業、関連 NPO 法人、など

4 現代の学校教育制度

1 幼稚園は学校

保育所は「2　保育原理」でもみたように、「児童福祉法」で定められた「児童福祉施設」の１つです。

では、幼稚園はどうでしょうか？ 「学校教育法」第１条には「学校」について定められていますが、そこに幼稚園も含まれています。つまり、幼稚園は学校なのです。

ココは覚える！「学校教育法」が規定する学校

幼稚園、小学校、中学校、義務教育学校、高等学校、中等教育学校、特別支援学校、大学及び高等専門学校

学校教育法第１条に定められた学校のことを、一条校と呼ぶことがあります。

幼稚園と保育所は子どもたちが生活をする場ですが、両者は異なる機関です。受け入れ対象となる子どもの年齢や、先生の必要免許も異なります。

きをつけよう！

	幼稚園（＝学校）	保育所（＝児童福祉施設）
管轄	文部科学省	こども家庭庁
保育対象（年齢）	満３歳から 小学校入学前まで	０歳から小学校入学前まで
先生の必要免許	幼稚園教諭免許状	保育士資格証明書
根拠となる法令	学校教育法	児童福祉法
指針	幼稚園教育要領	保育所保育指針

日本には幼稚園と保育所のほかに、認定こども園があります。認定こども園の場合、管轄はこども家庭庁で、文部科学省とも連携しています。先生になるには幼稚園教諭免許状と保育士資格証明書の両方が必要です。

2 学校段階と義務教育

現在の日本では、教育対象者の年齢や教育内容の水準などで、学校を次のような４つの「**学校段階**」に区分しています。

◉学校段階の区分

幼稚園	**就学前教育段階**
小学校、義務教育学校（前期課程）	**初等教育段階**
中学校、義務教育学校（後期課程）、高等学校及び中等教育学校	**中等教育段階***
大学・短期大学等	**高等教育段階**

*必要に応じて前期中等教育段階と後期中等教育段階に分けることができる。

ところで、わが国では、小学校の６年間と中学校の３年間が義務教育だというのは皆さんが知っているとおりですが、勘違(かんちが)いしやすいことがあります。義務教育というと子どもの義務だととらえられがちなのです。しかし、これは子どもの義務ではなく、保護者を含む**すべての大人**の義務です。子どもが大人の都合などで学校へ通えないということが起こらないように、**日本国憲法**第26条２項のほか、教育基本法にも義務教育について定められています。

条文 check!

教育基本法

第１条　教育は、人格の完成を目指し、平和で民主的な国家及び社会の形成者として必要な資質を備えた心身ともに健康な国民の育成を期して行われなければならない。

第５条　国民は、その保護する子に、別に法律で定めるところにより、普通教育を受けさせる義務を負う。

3 学校教育制度と教育法規

わが国の学校教育は国の法律によって規定されています。例えば、学校教育の理念や目的は**日本国憲法**や**教育基本法**によって明らかにされていますし、学校の範囲と種類、各学校の目的、教育目標、修業年限などについては**学校教育法**に細かく定められています。学校教育制度が社会のなかでうまく機能していくためには、諸条件の整備が欠かせません。

5 教育の実践

1 教育の目的、内容、方法、評価

教育機関である学校では「どのような子どもに育ってほしいか」という教育の**目的**に沿って、何をどのように教えていけばよいかといった教育の**内容**や**方法**を考えて選び、実際にやってみてどうだったかを**評価**します。

特に幼稚園や保育所では、より良い保育を作り出すために、保育者は自らの実践を振り返り、自己評価することが求められています。自己評価を通して、保育実践を改善したり、自身の専門性を高めたりしていくことが重要です。

2 カリキュラム

子どもに何を教えていくか（教育の内容）は、教育の目的に沿って選ばれます。また、その内容をどういう順序で教えていくかも重要です。何を、どのように教えるかを選んで順序よく組み立てたものを**カリキュラム**といいます。

カリキュラムにはいくつかの種類がありますが、教育の内容や目的によって異なります。例えば、学問や芸術といった人間がつくり上げてきた知識や文化を「教科」としてまとめ、系統化したカリキュラムを、**教科カリキュラム**といいます。**教科カリキュラム**は、大人が子どもに学ばせたいと考える内容を選択するのに適しています。一方、子どもの興味や関心をテーマとして設定し、それに沿って内容を構成したものを**経験カリキュラム**といいます。

また、教える側が意図していないところで、子どもが影響を受けたり、学び取ったり、身に付けたりすることがあります。このような一連の動きのことを**潜在的カリキュラム**といいます。

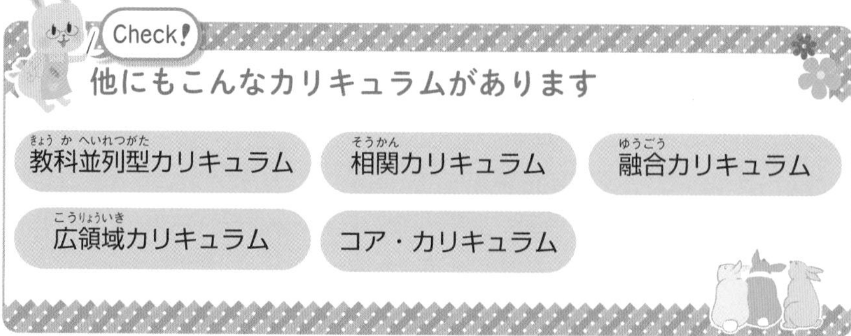

3 教育方法

子どもの学習や生活場面のなかで、子どもの成長や人間形成を援助する具体的な手立てが教育方法です。教育方法は教育の目的に沿って選びます。

教育方法には、**問題解決学習**や**プログラム学習**などがあります。**問題解決学習**とは、子どもが生活のなかから問題を発見し、分析し、問題解決に向けての仮説を立て、実験や観察によって問題を解決していく方法です。また、**プログラム学習**では、子どもがパソコンなどの機器を用いて、一人ひとりに提示されたプログラムに沿って、それぞれの速度で学習を展開していく方法をとります。

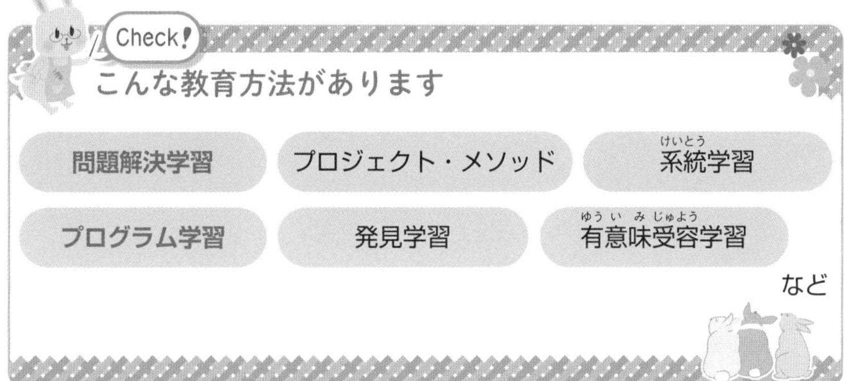

4 教育の評価

教育の評価とは、教育の内容、方法、成果を**客観的**に観察し、その価値判断をすることです。価値判断とは、例えば、試験の点数だけで判断するのではなく、その子どもにとってその点数はどのような価値（意味）をもつかを判断することです。例えば、英語で80点をとったAくんとBさんがいたとしましょう。英語が得意でいつも100点近い点をとっていたAくんと、英語が苦手でいつもは50点しかとれないBさんとでは、同じ80点でもその意味が異なります。

子どもに対する評価だけでなく、教育者自身の評価も重要です。試験の結果や子どもの反応から、教育の内容や方法を見直したり、改善したりしていきます。

6 日本の学校教育の歴史と現在

1 学校教育制度の始まり

現在のような学校教育は**明治**時代に入ってから諸外国によって日本にもたらされ、広まっていきました。1872（明治5）年、日本政府は学校の設立を促（うなが）そうと日本初の近代学校制度「**学制**」を発布（はっぷ）しましたが、中央集権的で全国画一的なものでした。これに代わり1879（明治12）年「**教育令**」が公布され、国による統制を緩（ゆる）めて教育の権限を地方にゆだねる方針になりました。

1886（明治19）年に公布された小学校令に、小学校を**尋常（じんじょう）小学校**（修業年限4年）と高等小学校（修業年限2年）の2段階にすることが示されました。初めは学校へ行く子どもはなかなか増えませんでしたが、1900（明治33）年の小学校令改正により、**義務教育無償化**の歩みが始まり、1902（明治35）年には就学率（しゅうがくりつ）が90%を超えるようになりました。

◉明治政府と人びとの意識の違い

明治政府

「あちこちに学校をつくりなさい」
「子どもは学校へ行きなさい」

人々

「学校って一体何?」「子どもに家の手伝いや子守りをしてもらわないと困るわ…」

ところで、江戸時代に増えていった**寺子屋（てらこや）**と、学校は形態が違います。学校は同じ年齢の子どもが1つの教室に集まるのに対して、寺子屋は年齢や能力の異なる寺子（子ども）一人ひとりに合わせて**師匠（ししょう）**が読み書きそろばんを教えていました。寺子屋に通う義務や時間の決まりもありませんでした。

2 大正から終戦後の学校教育

大正期に入ると、欧米の理論や大正デモクラシーの影響などによって、子どもの個性や自発性を尊重する「**児童中心主義**」の教育を主張する人々が現れ、さまざまな教育実践が試みられました。ところが、1931（昭和6）年の満州事変以降、わが国の学校教育は戦争の影響を受け、軍国主義、超国家主義的なものとなりました。

1945（昭和 20）年 8 月 15 日、日本は終戦を迎えると、軍国主義的だった教育が一掃され、「**民主的**で**文化的**な国家」建設のための教育制度が推進されました。「日本国憲法」の精神を受けて制定された「教育基本法」には、教育の**機会均等**や義務教育の**無償化**など近代的な教育理念が明確に示されました。また、「学校教育法」に基づいて、6（小学校）・3（中学校）・3（高等学校）・4（大学）制や 9 年制の就学義務が規定され、現在に至ります。

3 社会の変化と法の整備

社会の変化により、子どもや教育を取り巻く状況も様変わりしています。2015（平成 27）年に子ども・子育て支援新制度が施行されました。それまで幼児期の子どもが通う主な幼児教育施設は保育所と幼稚園でしたが、新たに**認定こども園**が加わりました。また、2023（令和 5）年には「**こども家庭庁**」が発足し、すべての子どもについて、**個人**として尊重されること、**基本的人権**が保障されること、**差別**的取り扱いを受けることがないようにすること、年齢及び発達の程度に応じて**意見**が尊重されることなどを基本理念とした「**こども基本法**」が施行され、同年 12 月には「こども大綱」が策定されました。

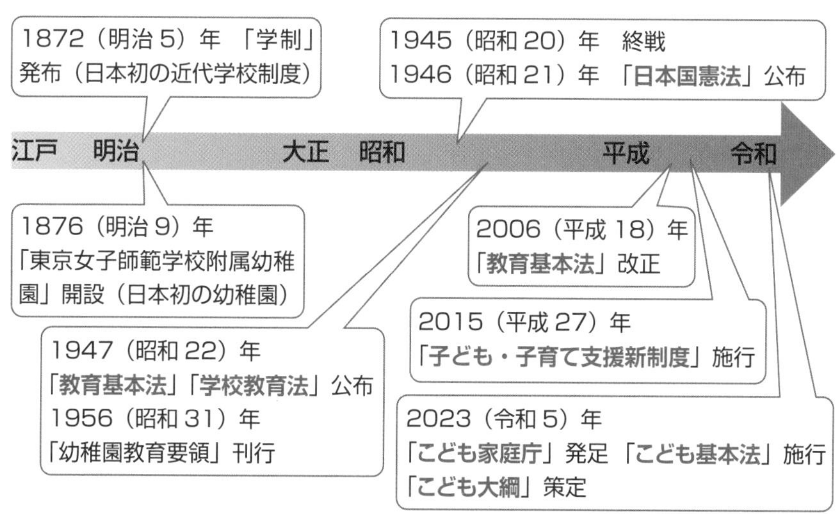

4 生涯学習社会における教育

半世紀ほど前まで、人生における学習の機会は子どもが学校に通う時期に限定されていましたが、1965（昭和 40）年にポール・ラングランが「生涯にわたる教育の必要性」を主張したのをきっかけに、生涯教育という言葉が広まっていきました。わが国でも 1970 年代には生涯教育、1980 年代には生涯学習という言葉がさかんに使われるようになり、2006（平成 18）年の教育基本法改正では第 3 条に「**生涯学習**の理念」が規定されました。

条文 check!

教育基本法

（生涯学習の理念）

第３条　国民一人一人が、自己の人格を磨（みが）き、豊かな人生を送ることができるよう、その生涯にわたって、あらゆる機会に、あらゆる場所において学習することができ、その成果を適切に生かすことのできる社会の実現が図られなければならない。

Check! 生涯学習にはこんなものがあります

- 学校教育
- 家庭教育
- 社会教育（成人教育、教育・文化事業を含む）
- 企業内教育
- リカレント教育

生涯学習とは、年齢や性別を問わず、文化活動、趣味、ボランティア活動などをあらゆる機会に、あらゆる場所で行うことができる学習です。

7 諸外国の教育思想

人間の長い歴史のなかで、子どもに「何をどのように教えるか」ということや教育のあり方が絶えず模索（もさく）されてきました。例えばコメニウスは、世界のさまざまな事象やものを絵と文字で示した**『世界図絵（ずえ）』**を著（あらわ）しました。この『世界図絵』は世界で最初の絵入りの教科書といわれています。

世界初の子どものための玩具（がんぐ）を考案した人はフレーベルといわれています。フレーベルはこの玩具を神からの贈り物という意味でGabe（ガーベ）と名付けました。日本では「**恩物（おんぶつ）**」と呼ばれています。フレーベルは、1840年ドイツに「**キンダーガルテン（Kindergarten）**」という幼児教育施設を創設し、幼稚園の創始者としても知られています。イタリアの医師であった**モンテッソーリ**が考案した教具は、今でもモンテッソーリ教具として知られており、日本にもモンテッソーリ教具を取り入れた活動を行う保育所や幼稚園があります。

ココは覚える！ 教育に関する思想家とキーワード

思想家	キーワード
コメニウス	絵入りの教科書の元祖『世界図絵』『大教授学』
ルソー	子どもの発見者、『エミール』
ペスタロッチ	『隠者（いんじゃ）の夕暮（ゆうぐれ）』、「数・形・語」を基礎とする教授法
フレーベル	キンダーガルテン（世界初の幼稚園）、恩物（Gabe）
デューイ	シカゴ大学附属小学校（実験学校）、『学校と社会』
モンテッソーリ	「子どもの家」、モンテッソーリ教具
キルパトリック	プロジェクト・メソッド
イリイチ	『脱学校（だつがっこう）の社会』、学校化
ブルーナー	発見学習、『教育の過程』
スキナー	プログラム学習、ティーチング・マシーン

このような思想家（しそうか）の思想や実践が今の教育につながっています。

ここでチャレンジ！

一問一答で確認してみましょう。○×を答えてね。
ただし、（　★　）は穴埋め問題です。入る言葉を答えましょう。

問 1　check! □□

日本国憲法第 26 条では、すべての国民の（　★　）を保障している。

問 2　check! □□

学校教育法が規定する学校とは、（　★　）、小学校、中学校、義務教育学校、高等学校、中等教育学校、（　★　）、大学及び高等専門学校である。

問 3　check! □□

幼稚園での 1 日の教育課程に係る教育時間は、4 時間を標準としている。

問 4　check! □□

子どもの興味や関心に基づいてテーマを設定し、それに沿って教育の内容を構成したものを教科カリキュラムという。

問 5　check! □□

教育基本法には、国民一人一人が、自己の人格を磨き、豊かな人生を送ることができるよう、その（　★　）にわたって、あらゆる機会に、あらゆる（　★　）において学習することができると示されている。

問 6　check! □□

1872（明治 5）年の「学制」に代わる教育に関する基本法制として、1879（明治 12）年 9 月に（　★　）が公布された。

問 7　check! □□

遊びの重要性を提唱し、子どものための玩具である恩物（Gabe）を考案したのはモンテッソーリである。

答 1 **教育を受ける権利**

教育を受ける権利は、乳幼児、児童、生徒などの子どもだけでなく、高齢者を含む成人など**すべての国民**に保障された権利である。

答 2 **幼稚園、特別支援学校**(とくべつしえんがっこう)

以前の学校教育法には「小学校、中学校、高等学校、中等教育学校、大学、高等専門学校、特別支援学校、幼稚園」と、特別支援学校と幼稚園は最後に示されていた。学校教育法改正により、幼稚園は**第 1 条の先頭**に規定された。

答 3 ○

『幼稚園教育要領』には、教育課程を編成する際に重要となる 1 日の教育時間に加え、毎学年の**教育週数**や**留意事項**も示されている。

答 4 ×

子どもの興味や関心に基づいて内容を構成したものを**経験カリキュラム**、大人が子どもに学ばせたい内容を系統化(けいとうか)したものを**教科カリキュラム**という。

答 5 **生涯、場所**

教育基本法の第 3 条には「生涯学習の理念」について示されている。国民一人一人が、あらゆる**機会**に、あらゆる**場所**で学習した成果を適切に生かすこと。

答 6 **教育令**

「**教育令**」は教育の権限を地方にゆだねる方針であったが、教育現場に混乱が生じたため「**改正教育令**」を翌年に交付し、国家が統制する方針に修正された。

答 7 ×

恩物（Gabe）を考案したのは、ドイツに「キンダーガルテン」を創設したフレーベルである。モンテッソーリはイタリアの医師で、**モンテッソーリ教具**を考案した。

社会的養護

子どもの発達や生活の保障を担う社会的養護がどのような体系で行われているのか理解します。その上で、施設養護や里親制度などの基本的事項を学んでいきます。

1 社会的養護とは？

1 社会的養護の意味すること

社会的養護（しゃかいてきようご）とは、①保護者のいない児童や、保護者による養育（よういく）が不適切である児童を、国や都道府県などの**公的な責任**（こうてき）のもとで社会的に養育したり保護（ほご）すること、②**養育**に大きな困難を抱える家庭への支援を行うことを意味します。

例えば、児童虐待（ぎゃくたい）や非行など、家庭や子ども自身に問題がある場合には、家庭での養育が難しくなります。社会的養護は、そのような状況にある子どもの養育を代替（だいたい）（代わりに行う）・補完（ほかん）（足りない部分を補（おぎな）う）し、再び家庭での養育ができるように支援する役割を果たします。

「養護」という言葉は、家庭がもっている子どもを養い育てる機能の「**養育**」と、危険がないように守る機能の「**保護**」を合わせた意味をもっています。

そして、社会的養護の対象となる「児童」とは、児童福祉法（じどうふくしほう）において「満18歳に満たない者」と定義されていますが、満18歳未満でも年齢区分に応じて、それぞれ呼び方があります。

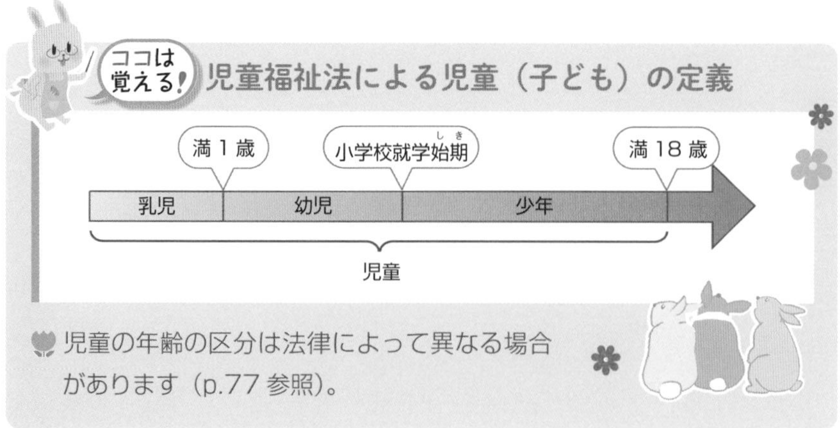

2 社会的養護の理念

社会的養護の理念（考え方）の中心は、「子どもの**最善の利益**を尊重すること」と、「**社会全体**で子どもを育むこと」です。子どもの最善の利益を保障するためには、子ども自身の気持ちを尊重し、自分自身で選択や決定ができるように支えていくことが大切です。その際には、“**子どもの立場**”から、何が大切なのか、何が必要なのかを考えていく視点が重要になります。

また、**保護者**から適切な養育を受けられない子どもを、**国**や**都道府県**などによる公的な責任のもとで保護・養育したり、困難を抱える家庭を地域の人や機関が支えたりして、**社会全体**で子どもの健やかな育ちを守っています。

そして、これらの理念を実現するために、6つの原理（しくみ）があります。

Check! 社会的養護の6つの原理

①**家庭養育**と個別化	すべての子どもは、**適切な養育環境**で、自分をゆだねられる養育者によって養育される
②**発達**の保障と**自立支援**	健全な**心身の発達**を保障し、愛着関係や基本的な信頼関係をもとに、**自立**した社会生活を送るために必要な力を養っていく
③**回復**を目指した支援	親から離される分離体験や虐待などに対するケアを行うとともに、大切にされる経験を積み重ねて信頼関係や**自尊心**を取り戻す
④家族との**連携**・**協働**	親を支えながら、あるいは親に代わって、子どもの健やかな発達や養育を保障していく
⑤**継続的**支援と連携アプローチ	**特定の養育者**（職員など）による一貫性のある養育を行うとともに、さまざまな専門職との連携によって支援を行う
⑥**ライフサイクル**を見通した支援	施設を出た後や里親委託を終えた後も、関わりをもち続けて**継続的**に支援を行う

3　社会的養護の体系はどうなっているの？

子どもの養護は、大きく「**家庭養育**（子どもが生まれた家などで行われる養育）」と「**社会的養護**」に分けられます。「社会的養護」は、さらに、「補完的養護」「支援的養護」「治療的養護」「代替的養護」に分けることができます。

このうち、「代替的養護」によるものには、①乳児院や児童養護施設などの児童福祉施設で行われる「**施設養護**」、②小規模住居型児童養育事業（ファミリーホーム）や里親などによる「**家庭養護**」、③地域小規模児童養護施設（グループホーム）など少人数の施設における「**家庭的養護**」などがあります。

日本では「**施設養護**」が中心ですが、**家庭養育優先**の理念が規定され、近年では「**家庭養護**」や「**家庭的養護**」が重視されるようになっています。

4　要保護児童って？

児童福祉法では、社会的養護の対象となる「①保護者がいない、②保護者に監護させることが不適当であると認められる児童」のことを**要保護児童**と位置づけています。

そして、要保護児童を発見した人は、**福祉事務所**や**児童相談所**などに連絡（これを**通告**といいます）する義務があります。要保護児童に対して適切な保護などを行うために、地方公共団体の多くには、学校や警察なども含めた関係機関によって構成される**要保護児童対策地域協議会**が置かれています。

Check!

「保護者に監護させるのが不適当な児童」とは？

例えばこんな児童のことです

- **児童虐待**を受けた児童
- **非行**（犯罪や不良行為）を行う児童
- 保護者が病気で**養育等を受けられない**児童
- **心身に障害**があり、保護者の十分な監護が期待できないことから、専門の施設で保護、訓練、治療した方が良い児童

◉社会的養護の体系

児童養護
- 家庭養育
- 社会的養護
  - （補完的養護）保育所、幼保連携型認定こども園、児童家庭支援センター
  - （支援的養護）助産施設、母子生活支援施設、児童厚生施設、児童家庭支援センター
  - （治療的養護）障害児入所施設、児童心理治療施設、児童自立支援施設
  - （代替的養護）
    - 施設養護 ― 乳児院、児童養護施設など
      - 家庭的養護　地域小規模児童養護施設（グループホーム）、小規模グループケアなど
    - 家庭養護 ― 小規模住居型児童養育事業（ファミリーホーム）、里親など

より家庭的な養育環境 →

施設養護

乳児院
◆乳児（必要がある場合幼児も含まれる）

児童養護施設
◆1歳～18歳未満（必要がある場合0歳～20歳未満）
・大舎（20人以上）
・中舎（13～19人）
・小舎（12人以下）

家庭的養護

地域小規模児童養護施設（グループホーム）
◆本体施設の支援のもと、地域の民間住宅などを活用して家庭的養護を行う
◆定員4～6人

小規模グループケア
【本園ユニットケア】
【分園型】
◆本体施設や分園などで、家庭的養護を行う
◆1グループ6～8人（乳児院は4～6人）

家庭養護

小規模住居型児童養育事業（ファミリーホーム）
◆養育者の住居で養育を行う家庭養護
◆定員5～6人

里親
◆家庭養育を里親に委託して家庭養護を行う
◆児童4人まで

社会的養護って
いろんな種類があるんだね！

2 施設養護ってどんなことをするの？

1 どんな援助や支援をするの？

施設では、起床、洗面、洗濯、食事、勉強、余暇活動、入浴、就寝などの日常生活（日課）のなかで基本的な**生活習慣を身につける**ことともに、**社会性**や**自主性**を獲得できるような支援が行われます。加えて、心理的な援助（えんじょ）や、親子関係の再構築に向けた支援も行われます。

衣食住（いしょくじゅう）を始めとして、子どもへの直接的な支援（養護）は、保育士を中心として、児童指導員、調理員などの専門職が担当します。

2 どんな施設があるの？

児童福祉法に定められている児童福祉施設は、13 施設あります。代表的な施設の目的や役割をみてみましょう。

ココは覚える！ 児童福祉施設

①助産施設、②**乳児院**、③**母子生活支援施設**、④保育所、⑤幼保連携型認定こども園、⑥児童厚生施設、⑦**児童養護施設**、⑧障害児入所施設、⑨児童発達支援（じどうはったつしえん）センター、⑩**児童心理治療施設**、⑪**児童自立支援施設**、⑫児童家庭支援センター、⑬**里親支援センター**

里親支援センターは、2024（令和6）年４月に新たに加わりました。

3 乳児院

乳児院は、保護者の病気など、何らかの事情により家庭養育を受けられない**乳幼児**を保護者に代わって養育する施設です。**乳幼児**の生命を守り、心身や社会性の健全な発達を促（うなが）したり、被虐待児（ひぎゃくたいじ）（虐待を受けた児童）・病児（びょうじ）・障害児の支援をしたりする専門的な養育機能をもった施設です。**児童相談所**からの一時保護の要請（ようせい）に対応したり、育児相談・ショートステイ（児童を一定期間預かり養育するサービス）などの子育て支援も行います。

4 母子生活支援施設

母子生活支援施設は、家庭環境や経済的な状況などを理由として、子どもを育てるには困難な状況にある配偶者のいない母親とその子どもを対象に、**母子の自立**を促すための支援を行う施設です。

近年、**夫からの暴力**を理由とする入所の相談や、**一時保護**の件数も増加傾向にあり、被害者を保護する**シェルター**としての役割を果たすことが多くなってきています。施設では、就労をはじめとする生活の基盤を確保するための支援も行います。

5 児童養護施設

児童養護施設は、保護者のいない児童や保護者に監護させることが適当ではない児童を**保護者に代わって**養育する施設です。

子どもの生活環境を整えるとともに、日常生活指導、学習指導、家庭環境の調整などを行い、児童が心身ともに健やかに成長して**自立**できるように支援していきます。あわせて、家庭復帰に向けた支援も行います。

6 児童心理治療施設

児童心理治療施設は、発達障害のほか、心理的な苦しみなどを抱えているために、日常生活が困難な子どもを対象に、短期間入所、または保護者のもとから通わせて**心理的な治療**を行う施設です。

児童心理治療施設での治療期間は、おおむね数か月から２～３年ほどです。その後は**家庭復帰**や**児童養護施設の利用**などが検討されます。

7 児童自立支援施設

児童自立支援施設は、非行などの行動上の問題や、基本的な生活習慣が身についていないなどの**家庭環境上の理由**から生活指導などが必要な児童を対象とする施設です。

児童相談所の措置（公的な責任のもとにとられる対応）、あるいは少年法に基づいて**家庭裁判所**の保護処分（少年を更生させるためにとられる対応）を受けた少年などが入所します。施設では、子ども一人ひとりの立ち直りや**社会的な自立**に向けた支援が行われます。

3 施設養護の流れ

1 アドミッションケア

児童養護施設を例にとって、施設養護の流れをみていきます。

まず、**アドミッションケア**とは、「入所前後のケア」のことです。施設養護（児童養護施設）における支援は、児童相談所が相談を受け付けるところから始まります。児童相談所では、さまざまな視点から総合的に判断して処遇内容（対応方法）が検討されます。その結果、施設入所が必要な状況にあると判断されると、入所手続きに入ります（この時、事前または事後に子どもや保護者の同意を得て行われることが望ましい）。

児童福祉法では「調査や判定に基づいて児童を施設に入所させることができる権限（**措置権**）」は都道府県知事にあることが示されていますが、実際には都道府県知事から**児童相談所長**が委任されて措置等が行われています。

> 児童相談所長が必要と認めたときには、保護者の同意がなくても一時保護することができます。一時保護は、原則2か月を超えない期間となっています。

2 インケア

「施設内でのケア」のことを**インケア**といいます。施設では、**退所後**も自立した生活が送れるように、日々の生活支援のなかでは、基本的な生活習慣を身につけるための支援や学習の指導などが行われています。

日々の生活では、児童の自主性を尊重しながら、規則正しい生活リズムのなかで**基本的生活習慣**を確立していくとともに、クラブ活動や行事の企画・運営、地域活動などを通して豊かな**人間性**や**社会性**を養います。このほかにも、正しい金銭感覚を身につけられるように**経済観念**を獲得していくための支援を行うなど、**自立した生活**を営むために必要な力を得られるように、さまざまな体験・経験の機会が設けられます。

3 リービングケア

リービングケアは、「退所に向けてのケア」のことです。児童養護施設の退所の形には、大きく分けて**家庭引き取り**と**社会的自立**があります。

家庭引き取りの場合には、家庭に戻った後の生活条件を整えるなど、退所後の生活を想定した支援が行われます。

社会的自立は、中学または高校卒業後に**就職**するケースが多くなっています。住み込みやひとり暮らしなど、退所後の生活の姿はさまざまですが、この時期に自活寮などを活用して**精神的自立**ができるように支援したり、社会生活を送る上での知識や家事などの生活技術を身につけていきます。

4 アフターケア

「退所後の支援」のことを**アフターケア**といいます。子どもが児童養護施設を退所するとそれで子どもとの関係が終わるわけではありません。施設の**家庭支援専門相談員**や担当していた**保育士**が中心となって、家庭引き取り後も必要な際は相談に応じたり、定期的な電話や家庭訪問を通して様子をうかがうなかで、安定・安心した生活を送ることができるように支援していきます。

また、施設から社会的に自立した子どもの場合には、**生活**は安定しているか、**離職**していないかなど、生活全体を支える意味での継続した支援が行われます。

◉施設養護の過程（全体図）

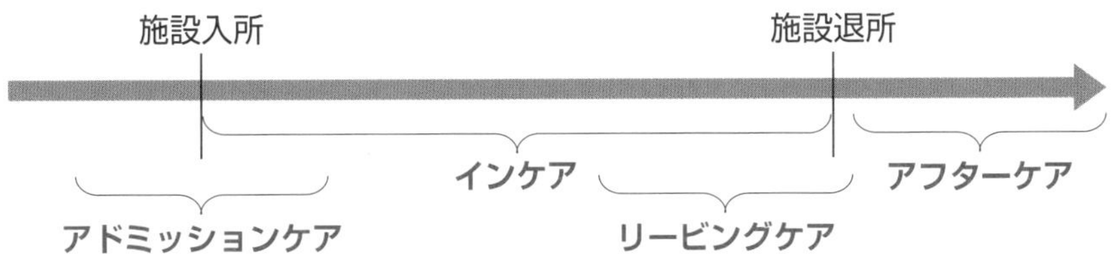

5 自立支援計画の策定

児童福祉施設で暮らす子どもには、**自立支援計画**を立てることが義務づけられています。自立支援計画は、施設内外での支援の具体的な形を示すものであり、保護者や**子ども本人**の思いを反映させながら、**児童相談所**の意見もふまえて作成されます。半年または年ごとの**定期的な見直し**のほかにも、子どもの成長や家庭状況の変化などによって必要に応じて修正したり、効果が薄い場合には支援内容全体が再検討されることもあります。

4 施設養護に関する基準と現状

1 施設養護に関する基準

子どもを養護する児童福祉施設の運営は、「**児童福祉法**」や「**児童福祉施設の設備及び運営に関する基準**」などに従って行われています。

「**児童福祉施設の設備及び運営に関する基準**」には、施設養護を行うために必要な職種、子どもの年齢や定員に応じた職員数、設備などが細かく示されています。

その他にも、消火用具や非常口などの非常災害の際に必要な設備を設けることや、非常災害に対する具体的計画を立てることなどの「児童福祉施設と**非常災害**」のあり方、施設に入所している児童に対する「**虐待等の禁止**」、身体的な苦痛を与えるなどの「**懲戒に係る権限の濫用禁止**」、施設内の衛生状態の維持といった「衛生管理」のほか、「食事」「秘密保持等」「**苦情への対応**」などについて定めています。

児童福祉施設は、これらの基準を満たしているからよいというわけではなく、「最低基準を超えて、**常に**、その設備及び運営を向上させなければならない」との考えのもとに、よりよい環境に向けてのさらなる努力が求められます。

Check!

児童養護施設の職員配置基準の例

【児童指導員及び保育士の総数】
- 満 2 歳に満たない幼児 **1.6** 人につき 1 人以上
- 満 2 歳以上満 3 歳に満たない幼児 **2** 人につき 1 人以上
- 満 3 歳以上の幼児 **4** 人につき 1 人以上
- 少年 **5.5** 人につき 1 人以上

※児童 45 人以下を入所させる施設は、上記の合計数に 1 人以上を加える。

【看護師の数】
- 乳児 **1.6** 人につき 1 人以上（ただし、1 人を下ることはできない）

注）幼児・少年・乳児はおおむねの数

2 施設養護の現状

子どもが施設を利用している背景に目を向けると、かつて、乳児院や児童養護施設に入所してくる子どもは、親との死別や家庭の貧困といった生活上の課題を抱えている事例が多くを占めていました。そのため、施設で行われる支援は**衣食住の保障**に重点が置かれていました。

しかし、現在では、保護者による子どもへの暴力や育児放棄などのいわゆる虐待といった、不適当な養育が理由で入所してきている子どもが多くを占めています。そのため、施設養護では、子どもの**心身のケア**や**保護者・家庭への支援**も重要な課題となっています。子どもたちの生存・生活・発達を保障し、社会的な自立を支えていくことは、施設に課せられた大きな役割といえます。

◉児童養護施設入所児童等調査の結果（令和５年２月１日現在）

施設種別		乳児院児	養護施設児	心理治療児	自立施設児
入所経路第１位		家庭から 43.8%	家庭から 62.4%	家庭から 60.9%	家庭から 59.3%
養護問題発生理由（上位３つ）		①母の精神疾患等 24.6% ②その他 16.6% ③母の放任・怠だ 14.9%	①母の放任・怠だ 16.4% ②母の虐待・酷使 15.0% ③母の精神疾患等 14.5%	①児童の問題による監護困難 34.7% ②母の虐待・酷使 15.4% ③父の虐待・酷使 14.9%	①児童の問題による監護困難 64.3% ②父の虐待・酷使 7.2% ③母の虐待・酷使 7.0%
平均在所年数		1.4 年	5.2 年	2.5 年	1.1 年
心身の状況（障害等ありの割合）		27.0%	42.8%	87.6%	72.7%
虐待経験*	あり	50.5%	71.7%	83.5%	73.0%
	なし	47.9%	25.0%	14.5%	23.1%

*「虐待経験」は、この表の「あり」「なし」のほかに不明も含めて 100% となる
子ども家庭庁「児童養護施設入所児童等調査の結果（令和５年２月１日現在）」より作成

5 施設の形態はどうなっているの？

1 子どもを養護する施設の規模

施設の主な形態（構造）には**大舎制**、**中舎制**、**小舎制**、**グループホーム**などがあり、児童養護施設の規模を表す場合などに用いられます。

（1）大舎制、中舎制

大舎制とは、1つの大きな建物に**20人以上**の子どもが生活している施設形態をいいます。男女別・年齢別に部屋が分けられており、原則として**相部屋**です。施設では部屋のことを居室と呼び、1つの居室は2～8人ほどが利用しています。食事は食堂に集まって全員でとります。

大舎制の施設では、集団生活であるため、**プライベートな時間**や場所が確保しにくいほか、職員が常に一人ひとりに関われるわけではないため、**家庭と同じような対応を行うには限界**があることなどの課題があります。

中舎制とは、1つの建物に13～19人の子どもが生活する施設形態をいいます。大舎制と小舎制の中間的なつくりの施設です。

（2）小舎制

小舎制とは、1つの建物に**12人以下**の子どもが1グループとして生活する施設形態をいいます。グループごとに別々の建物になっている場合と、大きな建物のなかでグループごとに区切られている場合（これを**ユニット**といいます）があります。それぞれの生活空間には、リビング・キッチン・トイレ・浴室・居室などの生活に必要な設備が設けられており、大舎制・中舎制に比べて**家庭的**な雰囲気をつくり出しやすい特徴があります。

（3）グループホームなど

地域小規模児童養護施設（ちいきしょうきぼじどうようごしせつ）**（グループホーム）**は、地域の一般住宅を借り上げた建物などで**4～6人**の子どもが生活する施設形態をいいます。

小規模グループケアは、虐待を受けた子どもに対して家庭的な雰囲気のなかで手厚いケアを行うことを目的としてつくられました。乳児院、児童養護施設、児童心理治療施設、児童自立支援施設で取り入れられています。

2 施設形態の現状

児童養護施設を例にとると、いまだに多くの施設で大舎制の形が残っています。家庭的養護の推進のために、施設の**小規模化**や地域分散化が進められています。

◉地域小規模児童養護施設、小規模グループケアの実施か所数の推移

	地域小規模児童養護施設		小規模グループケア(児童養護施設)		小規模グループケア(乳児院)	
	施設数	実施数	施設数	実施数	施設数	実施数
平成29年度	264	391	456	1,352	85	210
令和5年度	330	607	517	1,955	111	345

こども家庭庁「社会的養育の推進に向けて(令和6年4月)」

3 社会的養護の実施

社会的養護の実施には、「**措置**」による場合と「**利用契約(選択利用)**」による場合があります。児童虐待など、何らかの理由があって保護者による養護が期待できずに、保護が必要な状況と判断された場合に、子どもを都道府県知事の権限(児童相談所の所長が委任されていることが多い)で施設に入所させることを「**措置**」による入所といいます。また、仕事などで日中に子どもの養育ができずに保育を必要とする場合や、子育てに関する相談をしたい場合には、「**利用契約(選択利用)**」に基づいて使うことができる施設があります。

Check!

対象施設は?

・措置入所の対象施設→**乳児院**、**児童養護施設**など
・利用契約の対象施設→**保育所**、**母子生活支援施設**など

6 里親制度

1 里親にはどんな種類があるの？

里親とは、要保護児童（保護者がいない児童や、保護者に世話〔監護〕をさせることが不適切な状況に置かれた児童など）の養育を委託するしくみです。里親が自分の家庭に要保護児童を預かって養育していきます。

里親の種類は、子ども家庭福祉の趣旨に理解があって養子縁組を前提としない「**養育里親**」、児童虐待を受けた児童への支援などの専門的な知識が求められる「**専門里親**（養育里親に含まれる）」、将来的な養子縁組を前提とする「**養子縁組里親**」、扶養義務者及びその配偶者である親族などが養育を行う「**親族里親**」に分けられます。

Check!

里親の種類と概要

<table>
<tr><th rowspan="2">種類</th><th rowspan="2">養育里親</th><th></th><th rowspan="2">養子縁組里親</th><th rowspan="2">親族里親</th></tr>
<tr><th>専門里親</th></tr>
<tr><td>対象児童</td><td>要保護児童</td><td>要保護児童のうち、都道府県知事が養育に関して特に支援が必要と認めた児童
①児童虐待等によって心身に有害な影響を受けた児童
②非行等の問題がある児童
③身体障害、知的障害、精神障害がある児童</td><td>要保護児童</td><td>次の要件にあてはまる要保護児童
①その親族里親に扶養義務のある児童
②児童の両親をはじめとして、現在世話（監護）をしている者が死亡した等の理由から養育が期待できない場合</td></tr>
<tr><td>登録里親数</td><td>12,934 世帯</td><td>728 世帯</td><td>6,291 世帯</td><td>631 世帯</td></tr>
<tr><td rowspan="2">登録有効期限</td><td>5 年間</td><td>2 年間</td><td rowspan="2">なし</td><td rowspan="2">委託の解除まで</td></tr>
<tr><td colspan="2">※有効期限ごとに更新研修が必要</td></tr>
<tr><td>委託児童等の人数</td><td colspan="4">・委託する児童は 4 人まで（4 人のうち、専門里親として委託できるのは 2 人まで）
・委託する児童と、委託する児童以外の実子（自分が養育している子ども）等の合計は 6 人まで</td></tr>
</table>

注）里親数は 2022（令和 4）年 3 月末現在「福祉行政報告例」の数値（こども家庭庁「社会的養育の推進に向けて」）

2 里親委託の役割

里親委託となる子どもの多くが、実の親との関係を修復することが難しかったり、それまでの生育歴のなかで心に大きな課題を抱えていたりするケースが少なくありません。里親制度では、次のような効果が期待されています。

Check!

里親制度に期待される効果

①特定の大人との愛着関係の下で養育され、安心感の中で自己肯定感を育み、**基本的信頼感**を獲得できる

②適切な家庭生活を体験する中で、家族のありようを学び、将来、家庭生活を築く上でのモデルにできる

③家庭生活の中で人との適切な関係の取り方を学んだり、地域社会の中で**社会性を養う**とともに、豊かな生活経験を通じて生活技術を獲得できる

など

こども家庭庁「社会的養育の推進に向けて（令和５年４月）」

3 自立支援計画

里親委託においても施設養護と同様に自立支援計画の策定が義務付けられています。施設養護は、社会的養護関係施設の長に策定が義務付けられていますが、里親やファミリーホームは、**児童相談所所長**が作成する自立支援計画に従って委託児童を養育します。また、子どもの変化や状況を児童相談所に伝え、児童相談所と**一緒に**定期的に自立支援計画を**見直す**ことが求められます。

4 養育状況の記録

里親委託では、受託した子どもの養育状況を適切な文言で**記録・報告**します。里親自身の振り返りや子ども理解に留まらず、子どもが家庭復帰する場合の実親にとっての**子ども理解**や養子縁組する場合の**成長記録**の一部ともなります。

また、子どもの課題や**問題点などだけでなく**、できていること、良いところ、成長したところ等、**ポジティブな側面**も記録することで、子どものより正確な理解を促すことにもつながります。

5　里親養育の現状（児童養護施設入所児童等調査の結果）

里親養育の実際として「児童養護施設入所児童等調査の結果（令和５年２月１日現在）」から以下の状況が見受けられます。

項　目	結　果
委託児童総数	6,057 人（100%）
最も割合が高い児童の現在の年齢	18 歳（385 人〔6.4%〕）
児童の平均年齢	9.9 歳
最も割合が高い委託時の年齢	2 歳（836 人〔13.8%〕）
最も割合が高い委託期間	1 年未満（1,280 人〔21.1%〕）
平均委託期間	4.5 年
心身の状況「該当あり」の割合	29.6%（1,793 人）
最も割合が高い心身の状況（障害等）	知的障害（604 人〔10.0%〕）
最も割合が高い児童の委託経路	家庭から（2,660 人〔43.9%〕）
最も割合が高い児童の就学状況	就学前（1,966 人〔32.5%〕）
「被虐待経験の有無」で虐待経験ありの割合	46.0%（2,789 人）
最も割合が高い虐待経験の種類（複数回答）	ネグレクト（1,812 人〔65.0%〕）

こども家庭庁「児童養護施設入所児童等調査の結果（令和５年２月１日現在）」より作成

6　実親との関係

子どもにとっての実親は、子どもが自身を確認する上での源（みなもと）です。子どもが実親に怒りを持ったり、会えないことを**自己否定的**に捉えたり、里親への配慮から実親について尋ねたい気持ちを**遠慮**することもあります。子どもの前で実の親を**否定**せず、家庭内で**タブー**としないようにしましょう。

一定のルールのもとで、実親との面会、一時帰宅などの交流を**積極的**に行っていきますが、実親との関わりが子どもの**生活**や**福祉**、里親等とその家族の生活を脅かす場合に限り交流が制限されます。交流をどのように行うかについては、養育者と児童相談所が協議し、**子ども自身の意見**を踏まえて決定します。交流の実施状況を**児童相談所**が把握し、トラブルが生じた場合の対応をあらかじめ**明確**にしておくことも重要です。

7 施設の第三者評価事業とは

第三者評価事業は、社会福祉事業の経営者に求められる「福祉サービスの質の向上」のための重要な手続きです。公正で中立な立場の第三者評価機関が、専門的で客観的な立場から施設を評価します。

第三者評価機関による評価を受けて、その結果が公表されることで、利用者は「利用したいサービスなのか」「質の高いサービスを受けられるのか」を判断するための情報とすることができます。また、事業者側も自分の施設が提供するサービスの現状や課題を客観的に把握することができることで、福祉サービスの**質の向上**につなげることができます。

社会的養護関係施設は、主に**措置制度**による利用のしくみのため、子どもが施設を選択できないことや、増え続ける虐待を受けた子どもに対する適切かつ専門的な対応を行う体制づくりなどの課題があります。加えて、施設長は**親権代行権**をもつことからも、施設運営全体の質の向上が絶対的に必要です。そのため、社会的養護関係施設にあたる**児童養護施設**、**乳児院**、**児童心理治療施設**、**児童自立支援施設**、**母子生活支援施設**、**里親支援センター**には、第三者評価を3年に1回受けて、その結果を公表することが義務づけられています。

◉第三者評価の流れ

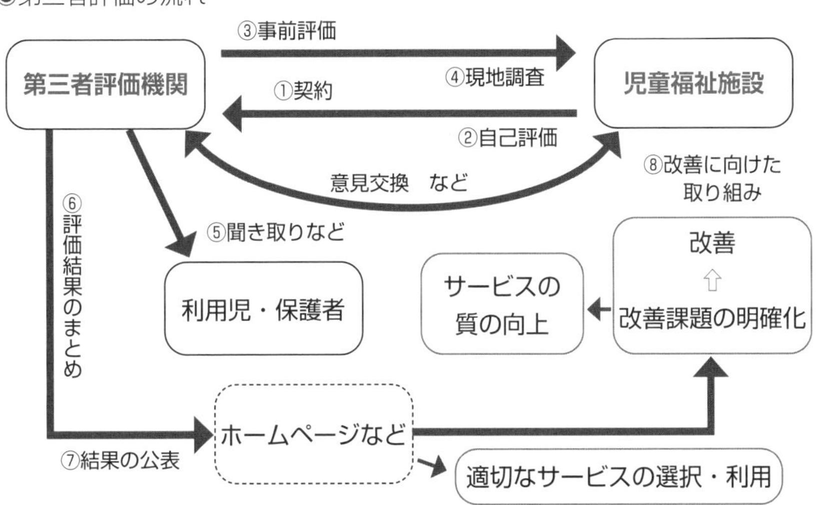

ここでチャレンジ！

一問一答で確認してみましょう。○×を答えてね。
ただし、（ ★ ）は穴埋め問題です。入る言葉を答えましょう。

問 1 check!

児童福祉法において、幼児とは「（ ★ ）から、小学校就学の始期に達するまでの者」のことをいう。

問 2 check!

社会的養護の体系でみると、地域小規模児童養護施設及び小規模住居型児童養育事業は、家庭的養護に位置づけられる社会福祉事業である。

問 3 check!

助産施設、児童心理治療施設、母子生活支援施設、幼保連携型認定こども園、児童相談所、児童発達支援センター、児童家庭支援センターは、いずれも児童福祉法で規定される児童福祉施設である。

問 4 check!

「児童養護施設入所児童等調査の結果（平成 30 年 2 月 1 日現在）」によると、児童養護施設入所児童の状況について、虐待経験がある児童は 6 割以上にのぼる。また、平均在所年数は 3 年である。

問 5 check!

里親の種類は、養育里親、専門里親、（ ★ ）、親族里親に分けることができる。

問 6 check!

児童養護施設や児童自立支援施設などの社会的養護関係施設には、（ ★ ）年に 1 度の第三者評価の受審が義務づけられている。

問 7 check!

里親やファミリーホームに委託された児童の自立支援計画は、委託を受けた里親やファミリーホームの養育者が作成する。

答 1 満１歳

児童福祉法では、乳児を「満１歳に満たない者」、幼児を「満１歳から、**小学校就学の始期**に達するまでの者」と定義している。

答 2 ×

それぞれの事業の性格（特徴）から、地域小規模児童養護施設は「**家庭的養護**」、小規模住居型児童養育事業は「**家庭養護**」に位置づけられている。

答 3 ×

児童相談所は、児童福祉施設には含まれない。2015（平成 27）年４月より、**幼保連携型認定こども園**が児童福祉施設に追加されている。

答 4 ×

「被虐待経験の有無」で「虐待経験あり」は **65.6％**にのぼり正しいが、平均在所年数は **5.2** 年である。

答 5 養子縁組里親（養子縁組希望里親）

現在の「**養育里親**（専門里親を含む）」「**養子縁組里親**」「**親族里親**」に分けられたのは、2008（平成 20）年の児童福祉法改正においてである。

答 6 3

受審義務化の背景として、これらの施設は子どもが**施設を選べない**しくみであることや、施設運営の質の向上が問われていることなどがあげられる。

答 7 ×

児童相談所所長があらかじめ作成する。里親やファミリーホームは、児童相談所が作成した自立支援計画に沿って委託児童を養育する。

子どもの保健

子どもの保健では、子どもが健康で元気に過ごすために、子どもの健康や病気の特徴、対応方法などについて具体的に学んでいきます。

1 子どもの心身の健康と保健

1 子どもの保健とは？

保健とは、健康な状態を守り、保つことをいいます。「保育所保育指針」の「健康及び安全」の章では、「子どもの健康及び安全の確保は、子どもの生命の保持と健やかな生活の基本である」と記されています。子どもの保健は、一人ひとりの子どもの心身の健康を保ち、乳幼児期は手洗いなど基本的な清潔習慣を身につけ、子どもが将来「自分の身体は自分で守る」ことができるようになることを目指します。

Check!

養護の理念

保育における養護とは、子どもの**生命**の保持と**情緒**の安定を図るために保育士等が行う援助や関わりであり、保育所における保育は、養護と教育を一体的に行うことをその特性とするものである。

2 子どもの健康とは？

では、健康であるとは、どんな状態でしょうか。WHO（世界保健機関）では、「健康とは、**身体的**、**精神的**、**社会的**に完全に良好な状態であり、単に疾病でないとか虚弱でないということではない」と定義しています。この３つがバランスよく安定している状態が健康であるといえます。

心と身体は強い関わりがあります。心の健康問題は身体にも影響を及ぼします。WHO の定義から子どもの健康について考えてみると、食事、運動、睡眠を軸に規則正しい生活を送り、心と身体が安定している状態といえます。

3 子どもの保健資料

子どもの保健統計の代表的な資料に、厚生労働省から発表される**人口動態統計**があります。これは、出生や死亡など、1年間の人口の動きをまとめたものです。この4年の出生数は下記の表のように減少を続けています。2023（令和5）年の出生数は72万7,277人で2年連続で80万人を割り、過去最少を更新しました。また、1人の女性が一生のうちに産む子どもの数の指標である**合計特殊出生率**は、2023(令和5)年は**1.20**でした。この数字が約2.07～2.08を割ると、長期的に人口は減少するとされています。

子どもの保健統計は、地域の衛生状態や社会状態を反映します。この他にもさまざまな指標がありますので、保健統計の傾向に変化があった場合など、最新のデータには気をつけておきましょう。

◉近年の出生数と合計特殊出生率

年　度	出生数	出生率	乳児死亡率	合計特殊出生率
2023（令和5）年	72万7,277人	6.0	1.8	**1.20**
2022（令和4）年	77万　747人	6.3	1.8	1.26
2021（令和3）年	81万1,622人	6.6	1.7	1.30
2020（令和2）年	84万　835人	6.8	1.8	1.33

厚生労働省「人口動態統計月報年計（概数）の概況（令和5年）」

4 子どもの年齢区分

子どもの月齢や年齢を知ることでその時期に合った適切な関わりができます。子どもの年齢区分は下記のように分類されます。

きをつけよう!

子どもの年齢区分

新生児期	出生～生後28日未満
乳児期	満1歳未満
幼児期	満1歳以上**小学校就学**前
学童期	小学校の6年間

2 子どもの身体的発育・発達と保健

1 発育と発達はどう違うの？

発育（成長）とは、身体の大きさや形態面が大きくなることをいい、**発達**とは、知能や運動機能などの成熟をいいます。身長が伸びたり体重が増えたりするのは**発育**で、寝返りやハイハイができるようになるのが**発達**です。子どもの発育、発達はめまぐるしく、生後約１年で歩くことができるようになり、身長は出生時の約 **1.5** 倍、体重は約 **3** 倍になります。生後３～５日までに出生体重の５～ 10% 減少することを生理的体重減少といいます。

乳幼児期は発達の**個人差**が大きいのが特徴で、運動機能は**頭部**から**下肢**へ(**上**から下へ)、体の**中心部**から**末梢部**（手足の先）へと進みます。

一人ひとりの発達過程や心身の状態に応じた適切な援助をするためには、いつごろ首がすわり、つかまり立ちをするのかなどの目安を知る必要があります。

Check!

平均身長と体重の目安の推移

	出生時	１歳	２歳	３歳
身長（cm）	50 →	75 →	85 →	95
体重（kg）	3 →	9 →	12 →	14

2 発育はどう評価するの？

身長や体重以外にも、子どもの発育を評価する指標となるものがあります。

カウプ指数は、乳幼児の身長と体重から栄養バランスを判定します。おおよそ 15 ～ 19 未満が標準で、それ以上を肥満、以下をやせと判定します。

乳幼児身体発育曲線とは、身長や体重をグラフに記入し、曲線から成長に伴う変化をみます。母子健康手帳にも掲載されています。

肥満度とは、肥満の判定に用いられ、標準体重に対して実測体重が何 % 上回っているか示すものです。

身長や体重の伸びが悪いと成長ホルモンの分泌不足や虐待が疑われ、体重が多い場合には肥満などが考えられ、早期発見が必要です。

Check!

運動機能の発達と援助

	粗大運動機能	覚え方	援助の仕方
3〜4か月頃	首がすわる	みる みる （3）（3） 首がすわる３か月	・首がすわるまでは首を支えながら横抱き。首がすわれば縦抱きができます。 ・体温調節が未熟なため、衣服は大人より１枚多めに。
5〜6か月頃	寝返り	ご ろ ご ろ （5）（6）（5）（6） 寝返り５、６か月	・首がすわり、腰がしっかりすればおんぶができます。
8か月頃	ハイハイ	ハイ ハイ （8）（8） するよ８か月	・ハイハイをするなど、活動が活発になるので、衣服は大人より１枚少なめに。
9〜10か月頃	つかまり立ち	とう とう （10）（10） 立った10か月	・足が滑らないように工夫します。 ・手に触れた物を何でも口に入れるため、手の届く範囲に危険な物を置かないようにします。
1歳頃	歩く	ひとり （1） で歩く１歳児	・歩行可能になるので、子どもの目線で安全点検を行います。

個人差があるので、一人ひとりの子どもに合わせた援助を行います。

3 生理機能の発達

子どもの健康を把握(はあく)するためには、身体の生理機能を表す体温、呼吸、脈拍(みゃくはく)の正常値を知ることが必要です。子どもは年齢が低いほど、新陳代謝が活発で、心拍数や呼吸数は多く、体温は高めです。

ココは覚える! 子どもの生理機能の正常値

	体温（℃）	脈拍（回／分）	呼吸（回／分）
乳児	36.0 ～ 37.4	120 ～ 140	30 ～ 40
幼児		80 ～ 120	20 ～ 30

数字だけでなく、子どもの様子にも気をつけます。

4 原始反射

乳児期には特有の原始反射があります。

モロー反射	手足を伸展(しんてん)させ**抱きつくように屈曲(くっきょく)する反射**
吸啜(きゅうてつ)反射	口腔(こうくう)内に指や乳首を入れると**吸いつく反射**
把握反射	手のひらを圧迫すると**握りしめる反射**

5 歯の健康

乳歯は生後 6 ～ 8 か月頃に生え始め、2 ～ 3 歳までに 20 本が生えそろいます。永久歯は乳歯が抜け始めると生え始め、上下左右それぞれに 3 本ずつが追加され、全部で 32 本になります。歯磨きなどでのむし歯予防が大切です。

ココは覚える! 乳歯と永久歯

乳歯は**妊娠初期**から形成が始まり、生後 6 ～ 8 か月頃に、**下の前歯**から生え始めます。永久歯は、妊娠中期に形成が始まります。

虫歯の原因となる菌は**ミュータンス菌**です。

3 子どもの精神保健

1 情緒の発達

乳児と母親（または特定の養育者）との信頼関係や安心感を基盤とした情緒的な結びつきを**愛着**といいます。目をみて話しかけ、しっかり抱きしめることにより、母子相互に、より強い**愛着**が形成されるようになります。

乳児期には、言葉がけやスキンシップを積極的に行うなどの、情緒の安定に配慮したていねいな関わりが求められます。

2 子どもの心の健康

心身症は、心理社会的因子（いわゆる**ストレス**）が密接に関与しているものをいい、身体症状として現れる病気です。子どもの様子が少しでもおかしいと思ったら、子どもに**寄り添い**、しっかりと話を聞きます。

3 虐待防止

児童虐待は、**ネグレクト**、**性的虐待**、**身体的虐待**、**心理的虐待**の４つに分類されます。虐待の疑いのある子どもを発見した時は、速やかに児童相談所や関係機関に連絡をします。

4 障害のある子どもへの対応

2005（平成 17）年４月に**発達障害者支援法**が施行され、発達障害を、「**自閉症**、**アスペルガー症候群**その他の**広汎性発達障害**、**学習障害**、**注意欠陥多動性障害**その他これに類する**脳機能**の障害」としています。

Check!

自閉スペクトラム症（ASD）への対応のしかた

①指示は**具体的**な言葉で、１つずつ順番にします。

②絵カード等で活動や生活の流れを示し、**視覚的**にもわかりやすくします。

4 子どもの健康管理

1 健康観察

体調不良や疾病、感染症（かんせんしょう）の早期発見、健康の保持増進のために行うのが**健康観察**です。どんなところに気をつけて子どもをみたらいいのかのポイントを図に示しました。

日ごろから健康観察を行うことで、異常の早期発見と対応ができます。体調不良時の健康観察の基本は**問診**（もんしん）（話をよく聞く）、**視診**（ししん）（注意深く観察する）、**触診**（しょくしん）（触れる）、**聴診**（ちょうしん）（呼吸音などを耳を澄ましてよく聴く）、**体温測定**などです。

子どもの健康観察をしっかり行い、健康問題を把握した上で、その症状に合わせた対応を行うことが重要です。

◉子どもの症状をみるポイント

【顔色・表情】
- **顔色**がいつもと違う
- 表情が**ぼんやり**している
- 視線が合わない　など

【食欲】
- **ふだん**より食欲がない

【睡眠】
- **泣いて目覚める**
- 目覚めが悪く機嫌が悪い

【目】
- **めやに**　・目が赤い
- まぶたのはれ　など

【鼻】
- **鼻水**、**鼻づまり**
- 小鼻がピクピクしている

【耳】
- **耳だれ**　・痛がる
- 耳をさわる

【のど】
- **痛がる**　・赤い
- 声がかれている　など

【口】
- **唇の色**が悪い
- 口のなかの痛み
- 舌が赤い　など

【胸】
- 呼吸が苦しそう
- ゼーゼーする
- 胸がへこむ

【皮膚】
- 赤くはれている
- 水（すい）ほう　・打ぼく
- **湿しん**　など

【尿・便】
- **回数**、**量**、**色**、**におい**
- 下痢（げり）、便秘（べんぴ）　など

【お腹】
- 張っていてさわると痛がる
- 股の付け根がはれている

こども家庭庁「保育所における感染症対策ガイドライン（2018年改訂版）」より作成

2 子どもの病気の特徴と適切な対応

子どもは体調を崩すと重症になりやすいのですが、回復が**早い**という特徴もあります。体調不良時に多い症状としては**発熱**があります。乳幼児の体温の正常範囲は **36.0 ～ 37.4**℃なので、**37.5**℃以上を発熱とします。また、平熱よりも 1℃以上高いと発熱とみなすことができます。ウイルスや細菌は**熱**に弱いため、それらが身体に入ると免疫機能が働き、身体は**熱**を出してウイルスや細菌が増えるのを防ぎます。

子どもの体調がよくないようにみえたら、必ず**体温測定**をし、発熱の有無を確認することが病気の早期発見につながります。

体温測定のときに、汗で身体が濡れていると体温が低く出ることがあるので、よく拭いてから測りましょう。

Check!

子どもによくみられる症状とその対応

症　状	ケ　ア
発熱	・**冷あん法**（冷却シートや氷枕で冷やす）を行う ・安静を保つ、脱水症予防のため**水分を摂取**する
おう吐	・吐いたものによる窒息防止のため、**顔を横に**向ける ・おう吐が落ち着いたら脱水症予防のため**水分を摂取**する
下痢	・安静にし、休養する ・下痢が落ち着いたら脱水症予防のため**水分を摂取**する
けいれん	・周囲の環境を整備し、安全を確保し、**安静**を保つ ・意識障害のあるときは、窒息防止のため、顔を横に向け、**気道**を確保する

高熱が続く、手足がしびれる、意識がない、などの症状があるときはすぐに病院へ行きます。

子どもにみられる主な病気の特徴と対応

病　気	特徴・対応
かぜ	・ウイルスが粘膜から感染して炎症(えんしょう)を起こす ・局部症状(きょくぶしょうじょう)として、鼻やのどに炎症、**咳**(せき)、**咽頭痛**（のどの痛み）、**鼻汁**(びじゅう)、**鼻づまり**など ・全身症状として、**発熱**、倦怠感(けんたいかん)（だるい）、頭痛など ・体を温め、栄養をとり、**休養**する
気管支喘息(きかんしぜんそく)	・気道が慢性的に炎症を起こし、過敏になって収縮し、呼吸困難を起こす ・息を吐くときのゼーゼーという音（**喘鳴**(ぜんめい)）が特徴 ・軽い発作のときは水を飲ませたり、腹式呼吸を促(うなが)す
食物アレルギー	・原因となる食物は**鶏卵**(けいらん)、**乳製品**、**小麦**など ・症状は皮膚症状が最(もっと)も多く、おう吐、下痢、腹痛等。複数の臓器に症状が出現する状態を**アナフィラキシー**と呼ぶ ・原因となる**食物の必要最小限の除去**、調理に工夫が必要
アトピー性皮膚炎	・皮膚にかゆみのある湿しんが出たり治ったりを繰り返す ・原因は不明だが、ダニ、紫外線、汗などの要因がある ・掃除などで環境を整備し、**清潔**にしてスキンケアをする ・保湿をし、爪を短く切る ・冷たい水や保冷剤で冷やすとかゆみが落ち着く
熱中症	・高温環境下で体内の水分や塩分のバランスが崩れ、口渇(こうかつ)、頭痛、めまい、たちくらみなど**脱水症状**を起こす ・予防するには、日頃から**栄養**、**睡眠**をとり、暑いときはこまめに**水分摂取**をする ・外出時は木陰で休憩をしたり、室内でも起こるので、冷房を使用し、風通しをよくし、**高温多湿にしない**

保育所において与薬(よやく)する際は、医師の指示による薬に限定し、与薬依頼票に基づいて行います。

5 子どもと感染症

1 免疫とは？

免疫とは、細菌やウイルスなどの病原体が身体に入ったときに、身体を守る働きをいいます。赤ちゃんはお母さんから胎盤（たいばん）経由で免疫（**IgG**（アイジージー））を受け取り、新生児期から乳児期までの間、感染から身を守ります。また母乳にも免疫（**IgA**（アイジーエー））があります。IgA は特に初乳中に多く含まれ、母乳を飲むと病原体から身体を守ることができます。IgG は生後 **6 ～ 9 か月頃に消失**するため、この頃から免疫系が確立する 8 歳頃までは抵抗力（免疫力）が弱いのでさまざまな感染症にかかりやすくなります。

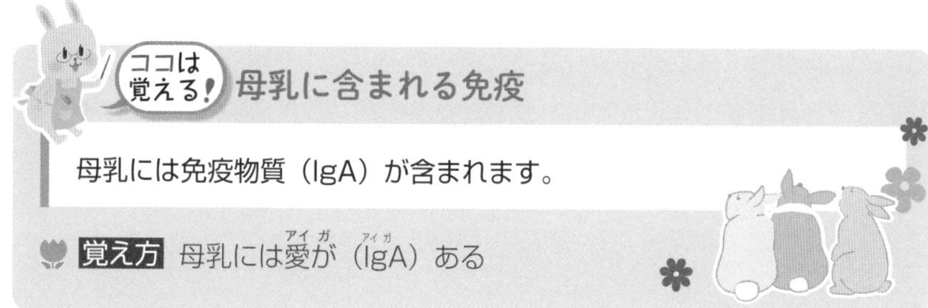

2 感染症とは？

人にウイルスや細菌などの病原体が侵入し、発育または増殖することを「**感染**」といい、何らかの症状が現れた状態を「感染症」といいます。感染症の種類によって発病のしかたが違います。また、感染しても発病しない（**不顕性**（ふけんせい）**感染**）こともあります。全身的な発（ほっ）しんを認め、発熱を伴っている場合は、感染症のことが多いので、早期に医療機関を受診します。

◉感染症

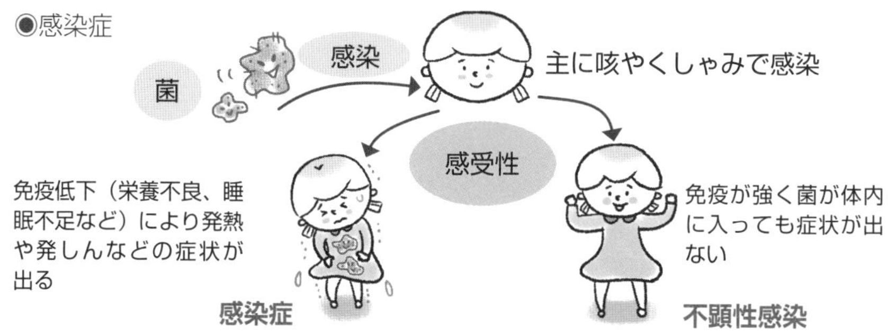

3　感染症の３大要因と感染症対策

感染症が成立するための３大要因に**感染源**、**感染経路**、**感受性宿主**があります。

感染源とは感染のもととなるものです。感染症対策として、病原菌などに感染した子ども（感染源）がいる場合、別室で保育したり登園を控えてもらったり、消毒などの対策をとり、健康な子どもにうつらないようにします。

感染経路とは感染する方法をいい、主なものに**飛沫感染**があります。飛沫感染は、咳やくしゃみにより、唾液や鼻汁（鼻水）のしぶきに含まれる病原体が飛び散り、他の人ののどや鼻などの粘膜につくことで感染します。感染症対策として、インフルエンザなどの感染症流行時は、手洗いや手指の消毒、外遊びのあとのうがい、タオルの共有を避ける、マスクを着用し、予防をします。

感受性宿主は、抵抗力の弱っている人など、いわゆる感染症にかかりやすい状況にある人です。感染症対策としては、あらかじめ免疫を与える**ワクチン**の予防接種があり、予防接種することで、感染症が流行してもかかりにくく、またかかっても重症化しにくくなります。

◉主な病原体の感染経路

感染経路	主な病原体	感染の仕方
飛沫感染	インフルエンザウイルス、コロナウイルスなど	**咳やくしゃみ**によりしぶきに含まれる病原体が飛び散り感染する。飛び散る範囲は１～２m。
接触感染	ノロウイルス、コロナウイルスなど	病原体が付着した手、口、鼻又は眼を**さわる**こと等によって感染。
経口感染	腸管出血性大腸菌（O157）、ノロウイルスなど	病原体を含んだ食物、水分を経口摂取することにより感染。
血液感染	Ｂ型肝炎、Ｃ型肝炎など	**血液**を介して感染。

4　主な感染症と罹患後の対応

学校保健安全法施行規則は学校で予防すべき感染症を、症状の重さなどで３つに分類しています。**飛沫感染**することで、集団生活のなかで流行を広げる可能性が高い感染症が**第二種感染症**です。第二種感染症の出席停止が定められている期間は、病原体（菌）を多数排出していて病気を移しやすい期間です。

◉第二種感染症の症状と出席停止期間

感染症	主な症状	出席停止期間
インフルエンザ	高熱、全身倦怠感、関節痛、筋肉痛、咽頭痛、咳	発症した後5日を経過し、かつ、解熱した後2日（幼児は3日）を経過するまで
百日咳	発作性の咳（連続的な咳のあと、ひゅーと音がする）	特有の咳が消失するまで、または5日間の適正な抗菌性物質製剤*による治療が終了するまで ＊抗生剤のことをいいます。
麻しん	全身に真っ赤な発しん、風邪のような症状	解熱した後3日を経過するまで
流行性耳下腺炎	耳の下やあごの下、舌の下に腫れや痛み	耳下腺、顎下腺または舌下腺の腫脹が発現した後5日を経過し、かつ全身状態が良好になるまで
風しん	全身にバラ色の発しん	発しんが消失するまで
水痘	赤い発しんが出て、水ほうになり、痂皮（かさぶた）となる	すべての発しんが痂皮化するまで
咽頭結膜熱	咽頭痛、結膜の充血、高熱	主要症状が消退した後2日を経過するまで
新型コロナウイルス感染症	発熱、咳、頭痛、倦怠感	発症した後5日を経過し、かつ症状が軽快した後1日を経過するまで
結核	長期にわたる咳	病状により学校医その他の医師において感染のおそれがないと認めるまで
髄膜炎菌性髄膜炎	熱や頭痛など、風邪に似た症状から急に悪化	

出席停止期間は公欠扱いとなります。

5 予防接種

予防接種のある病気は感染力が強く重症になる可能性の高いものです。予防接種は予防接種法で定められており、**定期**接種と**任意**接種があります。

ココは覚える！ **定期接種と任意接種**

定期接種	・国から接種が積極的に勧奨されている ・費用は**公費負担**（ほぼ無料）	結核、麻しん（はしか）、水痘（みずぼうそう）、風しん、B 型肝炎、ロタウイルスなど
任意接種	・接種は本人、保護者の希望による ・費用は**自己負担**	流行性耳下腺炎（おたふくかぜ）、A 型肝炎など

◉ワクチンの種類と予防接種の間隔

種　類	成　分	対象疾患	接種間隔
生ワクチン	病原体を弱毒化したもの	BCG（結核）、水痘、流行性耳下腺炎等	生ワクチン（注射）接種後に他の生ワクチン（注射）を接種する場合は、**27**日（約4週間）以上間隔をあける
不活化ワクチン	病原体を不活化したもの	インフルエンザ、B型肝炎等	接種間隔の制限**なし**

6 新型コロナウイルス感染症

コロナウイルスには、風邪の原因となるウイルスや新型コロナウイルスなどがあります。新型コロナウイルス感染症は主に**飛沫感染**や**接触感染**で感染します。一般的な症状は、発熱、咽頭痛、倦怠感、嗅覚や味覚の消失などです。子どもは頭痛などの症状の訴えが十分にできないため、体調の変化にいち早く気づき対処します。

乳幼児はマスクの着用が難しいため、**手洗い**を励行します。感染症流行時は子ども同士の距離を保てる遊びの工夫や、玩具や物品の**消毒**や環境の**衛生対策**をします。

6 子どもの健康と安全

1 保育環境の整備と援助

保育所は、子ども達が集団で長時間を過ごす場所です。安全で、安心して過ごせるように身の回りの環境整備を定期的に点検します。

Check!

保育所の環境

①温度：夏期は26～28℃、冬期は20～23℃

・季節によって冷暖房器具を使用し、外気温との差をできるだけ**5℃以内**に保つようにします。

②湿度：**60%**程度を保つ

・冬季など、湿度が低い季節には加湿器等を使用して湿度を保ちます。

③換気：**1時間**に1回程度

・感染症が流行している場合は、適宜行います。

④採光：室内が暗い場合は照明を使用

・200ルクス程度の明るさが必要です。

2 保育現場における衛生管理

人は食事、排(はい)せつ、遊びなど、多くの場面で手を使って生活しています。食事のときにも手を使うので手から口へと、病原体が入りやすくなります。

感染症予防の基本は**手洗い**です。手洗いの基本は、石けんを使って、手のひら、甲、爪、指、手首の周りの各部分をしっかり洗います。下痢や感染症流行時には使い捨てのビニール手袋を使用します。

◉保育所における感染症対策

・**手洗い**、感染症流行時は手指消毒用アルコールによる**消毒**

・テーブル、手すり、ドアノブなどの水拭き、流行時は**消毒**

・オムツ交換の際は使い捨ての**ビニール手袋**を使用

・栄養、運動、休養などで**健康管理**　・体調不良があるときは**登園**を控える

消毒とは、病原微生物を不活性化し、病気の発生を抑えることをいいます。消毒薬は各病原菌に合わせて選択します。アルコール消毒は一般細菌や結核菌、真菌、HIV を含むウイルス等に有効ですが、ノロウイルスやロタウイルスにはあまり効果がありません。塩素系消毒薬の消毒は多くの微生物に有効です。

3 応急処置

外傷の処置の基本に RICE 処置があります。R（Rest）とは安静、I（Icing）とは冷却、C（Compression）とは圧迫、E（Elevation）とは挙上することをいい、患部の炎症や出血を抑えます。

◉応急処置

切り傷	止血→ガーゼで保護
すり傷	流水で洗う→ガーゼで保護
打ぼく	痛みの部位を冷やす、頭部の打ぼくは 24 時間注意して観察
ねんざ	痛みの部位を冷やす→固定する→患部を高くする
鼻　血	鼻の穴のふくらみはじめの部分（キーゼルバッハ部位：鼻血の出やすい部位）を圧迫する
熱傷（やけど）	冷水で痛みが和らぐまで冷やす→ガーゼで保護する

4 心肺蘇生法

乳幼児の一次救命処置とは、胸骨圧迫と人工呼吸からなる心肺蘇生（CPR：CardioPulmonary Resuscitation）や自動体外式除細動器（AED：Automated External Defibrillator）を用いて、呼吸停止、心停止、もしくはこれに近い状態になった病気やけがの子どもを救命するために行う緊急処置のことをいいます。子どもに関わることの多い保育士は、乳幼児の一次救命処置を習得する必要があります。

5 子どもの事故防止及び安全対策

子どもの死亡原因をみると、乳児の死亡原因では、「**先天奇形、変形及び染色体異常**」が最も多く、1歳以上になると「**不慮の事故**」が増えます。乳幼児期は好奇心が旺盛で、視野が狭く、判断力が未熟で事故を起こしやすいのが特徴です。歩けるようになり、行動範囲が広がると、不慮の事故のなかでも交通事故、溺死及び溺水が多くなります。

きをつけよう!

子どもの死亡原因(令和5年「人口動態統計月報年計(概数)の概況)

	1位	2位	3位
0歳	先天奇形、変形及び染色体異常 *1	周産期に特異的な呼吸障害等 *2	不慮の事故
1～4歳	先天奇形、変形及び染色体異常 *1	悪性新生物 *3	不慮の事故
5～9歳	悪性新生物 *3	不慮の事故	先天奇形、変形及び染色体異常 *1

*1 生まれつき異常をもっていたり、遺伝子の異常をもっていること
*2 出産前後に呼吸器などに障害が起こること
*3 がんや白血病、リンパ腫など

また、最近、注目されている死亡原因に**乳幼児突然死症候群**(SIDS)があります。乳幼児突然死症候群とは「それまでの健康状態および既往歴からその死亡が予測できず、しかも死亡状況調査および解剖検査によってもその原因が同定されない、原則として**1歳未満**の児に突然の死をもたらした症候群」(2012年「乳幼児突然死症候群(SIDS)診断ガイドライン(第2版)」)をいいます。

その発生の危険性を高めるリスク要因として「**うつぶせ寝**」「**人工栄養**」「**両親の喫煙**」などがあげられています。病因と病態は明らかになっていませんが、予防として、①仰向けで寝かせる、②なるべく母乳栄養で育てる、③妊娠中や乳児のそばでの喫煙をやめるなどがあげられます。

7 母子保健・地域保健における関係機関との連携

1 母子保健

母子保健の基本となるのは、**母子保健法**です。母子保健法は 1965（昭和40）年に制定され、**母性並びに乳児及び幼児の健康の保持・増進**を図るため、基本的な考え方を示したものです。母子保健の対象は、妊産婦や育児中の母親、乳幼児期の母親や子どもが中心ですが、思春期の女子も含まれます。

2 地域の母子保健の専門機関

地域における母子保健体制を担うのが保健所です。保健所は、地域住民の健康の保持及び増進を図る事業を行います。

また、**妊娠届の受付**、**母子健康手帳の交付**、**新生児訪問指導**、健康診査（1歳6か月、3歳など）については市町村が行い、**新生児マススクリーニング検査**などは都道府県や指定都市が行っています。

◉母子保健の具体策

実施主体	対策の種類
市町村	保健指導、訪問指導（妊産婦、新生児、未熟児）、健康診査（1歳6か月児・3歳児）、母子健康手帳の交付など
都道府県	広域的・専門的な内容の市町村に対する連絡調整、新生児マススクリーニングなど

3 母子健康手帳

市町村に妊娠の届出をすることで母子健康手帳が交付されます。母子健康手帳は、妊娠・出産の記録、健康診査の結果、予防接種など子どもの成長の記録です。

2012（平成24）年に新様式となり、胆道閉鎖症等の疾患の早期発見のため便色の確認の記録欄が追加されました。また、2023（令和5）年より、**心のケア**、学童期以降の健康状態を記録できる欄を設けるなど、項目が追加されています。

4 こども家庭センター

母子保健機能・児童福祉機能のそれぞれの専門性を活かした一体的な運営を通じて、地域の関係機関と連携し、**すべての妊産婦**、**子育て世帯**、**こども**に対し、切れ目なく、もれなく、相談支援を提供することを目的としています。

5 健やか親子 21

21 世紀の母子保健の主要な取り組みとして、2001（平成 13）～2014（平成 26）年度の間、4 つの主要課題と 61 の数値目標が示された「**健**(すこ)**やか親子 21**」が行われました。その結果をふまえて、10 年後の「すべての子どもが健やかに育つ社会」を目指し、2015（平成 27）年度から、3 つの基盤課題と 2 つの重点課題を示した「**健やか親子 21（第 2 次）**」が始まっています。次世代を担(にな)う子どもたちを健やかに育てるための基盤となります。

Check!

健やか親子 21（第 2 次）

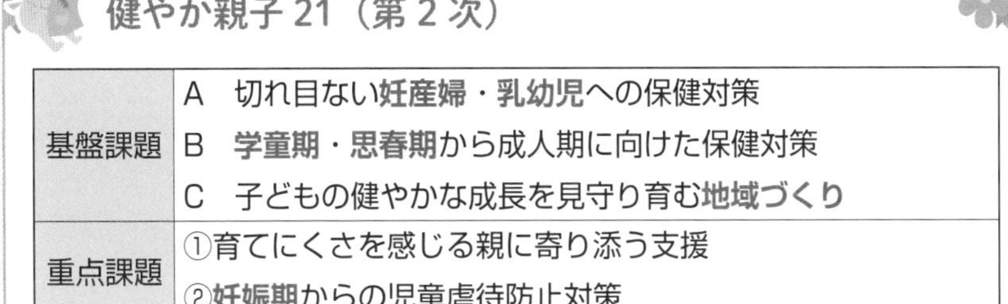

基盤課題	A　切れ目ない**妊産婦・乳幼児**への保健対策 B　**学童期・思春期**から成人期に向けた保健対策 C　子どもの健やかな成長を見守り育む**地域づくり**
重点課題	①育てにくさを感じる親に寄り添う支援 ②**妊娠期**からの児童虐待防止対策

健やか親子 21（第 2 次）は 2024（令和 6）年度までの 10 年間です。

6 子育て支援

市区町村が実施主体となり「**乳児家庭全戸訪問事業（こんにちは赤ちゃん事業）**」が行われています。こんにちは赤ちゃん事業は、すべての乳児のいる家庭を訪問し、**子育ての孤立化を防ぐ**ために、その居宅においてさまざまな不安や悩みを聞き、**子育て支援に関する必要な情報提供を行う**とともに、支援が必要な家庭に対しては適切なサービス提供に結びつけることにより、地域の中で**子どもが健やかに育成できる環境整備**を図ることを目的としています。

ここでチャレンジ！

一問一答で確認してみましょう。○×を答えてね。

問 1 check! □□

「人口動態統計速報（令和 5 年 12 月分）」によると、2023（令和 5）年の出生数は 80 万人未満である。

問 2 check! □□

乳幼児の生活と行動の特徴から、飛沫感染や接触感染が起こりやすいので、手洗いやうがいなどの衛生対策と大人からの援助や配慮が必要である。

問 3 check! □□

子どもは年齢が低いほど、体温が高い。早朝が最も低く、夜に高くなる傾向がある。発熱時はすぐに解熱剤を与えずクーリングをし脱水に気をつける。

問 4 check! □□

生ワクチンを接種した日から次の生ワクチンを摂種する場合、接種間隔は 7 日以上あける。

問 5 check! □□

乳幼児突然死症候群（SIDS）とは、午睡中に生じる疾患で窒息が死亡原因であり、多くは生後 1 歳以上で発症する。

問 6 check! □□

母子保健の根拠となるのは「児童福祉法」であり、母子保健の対象は妊産婦や育児中の母親である。

問 7 check! □□

流行性耳下腺炎（おたふくかぜ）の症状は、耳下腺、顎下腺、舌下腺の腫れであり、予防接種は任意接種である。

答 1 ○

2023（令和 5）年の出生数は **72 万 7,277** 人で 80 万人を下回っている。合計特殊出生率も **1.20** であり、**少子化**が進んでいる。

答 2 ○

飛沫感染とは咳やくしゃみで病原体などが他の人の粘膜につくことによる感染、**接触感染**とは病原体の付着した手、口、鼻を触ることによる感染である。

答 3 ○

子どもの体温は 36.0 ～ 37.4℃が正常範囲内であり、**37.5**℃以上を発熱の目安とする。また平熱よりも 1℃以上高い場合を発熱とみなす。

答 4 ×

生ワクチンを続けて接種する場合は、**27 日以上**間隔をあけて次のワクチンを接種する。不活化ワクチンは接種間隔の制限はない。

答 5 ×

SIDS は**睡眠中に突然**死亡してしまう原因不明の病気であり、1 歳未満に多い。リスク要因として、**うつぶせ寝**、**人工栄養**、**両親の喫煙**があげられる。

答 6 ×

母子保健の法的根拠は**母子保健法**である。母子保健の対象は、妊産婦や乳幼児期の母親や子ども、**思春期女子**も含まれる。

答 7 ○

流行性耳下腺炎の出席停止期間は、腫れが出た後 **5** 日を経過し、**全身状態**が良好になるまでである。

子どもの食と栄養

子どもの食と栄養は、子どもが健康な生活を送るための食生活のあり方などについて学ぶ科目です。栄養に関する基礎知識について学ぶとともに、離乳食の進め方や幼児期の食生活のあり方についても学びます。

1 子どもの食生活

1 健康と食生活

健康に生きるためには、からだをつくり、生活のエネルギー源ともなる「食事」が重要です。

国民の健康の増進や、生活の質（QOL）の向上、食料の安定供給の確保などを図るため、2000（平成12）年、当時の文部省（現・文部科学省）、厚生省（現・厚生労働省）と農林水産省が連携して、10項目からなる**食生活指針**を策定し、2016（平成28）年に改正されました。

Check!

食生活指針（平成28年6月一部改正）

・食事を楽しみましょう。
・1日の食事のリズムから、健やかな生活リズムを。
・適度な運動とバランスのよい食事で、適正体重の維持を。
・**主食**、**主菜**、**副菜**を基本に、食事のバランスを。
・ごはんなどの**穀類**をしっかりと。
・野菜・果物、牛乳・乳製品、豆類、魚なども組み合わせて。
・食塩は控えめに、脂肪は質と量を考えて。
・日本の食文化や地域の産物を活かし、郷土の味の継承を。
・食料資源を大切に、**無駄**や**廃棄**の少ない食生活を。
・「食」に関する理解を深め、食生活を見直してみましょう。

2 子どもの食生活調査

子どもの食生活に関する調査としては、こども家庭庁による、全国の乳幼児の栄養方法や食事の状況等の実態を調査する「**乳幼児栄養調査**」があげられます。**乳幼児栄養調査**は母乳育児の推進や、乳幼児の食生活の改善のための基礎資料を得ることを目的として、10 年に 1 度、授乳期の栄養や、離乳食の内容や食事の状況などについて詳しく調査されています。

また、厚生労働省は毎年、「**国民健康・栄養調査**」で生活習慣や食品摂取などに関する調査を行っています。

Check!

2015（平成 27）年度「乳幼児栄養調査」について

- 母乳を与える割合* は 20 年前に比べて**増加**傾向

	1995（平成 7）年		2005（平成 17）年		2015（平成 27）年
1 か月	約 92%	→	約 95%	→	約 97%
3 か月	約 73%	→	約 79%	→	約 90%

* 母乳栄養（母乳のみ）と混合栄養（母乳と粉ミルク）の合計

- 離乳食の開始時期は 10 年前に比べて**遅く**なる傾向

  最も多い開始時期→ **6** か月（10 年前は **5** か月）

  次に多い開始時期→ **5** か月

- 子どもの食事で特に気をつけていること

  栄養バランス→ 7 割強　　一緒に食べること→ 7 割弱

  ➡ 子どもの食事で困っていることは、2 ～ 3 歳未満では「遊び食べをする」が 4 割と最も高く、3 歳以上では「食べるのに時間がかかる」が 3 ～ 4 割と高かった

- 子どもの約 6%が朝食を欠食

  就寝時刻が遅くなるほど欠食の割合が高い

  保護者が朝食に欠食習慣があると子どもも欠食の傾向

  ➡ 保護者の生活習慣や食習慣が子どもの食習慣の形成に大きな影響を与える

2 栄養の基礎知識

1 栄養素とは？

ヒトの体内で栄養となる物質を栄養素（えいようそ）といいます。栄養素は**炭水化物**（たんすいかぶつ）、**たんぱく質**、**脂質**（ししつ）、**ビタミン**、**ミネラル**に分けられ、それぞれの栄養素によって体内での役割が異なります。食べ物はさまざまな栄養素と、水分から構成されています。例えば、米は**炭水化物**の多い食品ですが、たんぱく質や脂質なども含まれます。

炭水化物は体内で消化、吸収され、身体を動かす**エネルギー源**となります。たんぱく質は身体の構成成分として、脂質は脳などの発育に必要不可欠です。もしも炭水化物の摂取不足などでエネルギーが不足した場合には、たんぱく質や脂質もエネルギー源として使われます。

炭水化物、**たんぱく質**、**脂質**を３大栄養素といいます。ビタミンとミネラルは微量（びりょう）でいいものの、体内の機能の調節作用があるなど、生きていくのになくてはならない栄養素ですので、３大栄養素にビタミン、ミネラルを加えたものを５大栄養素といいます。

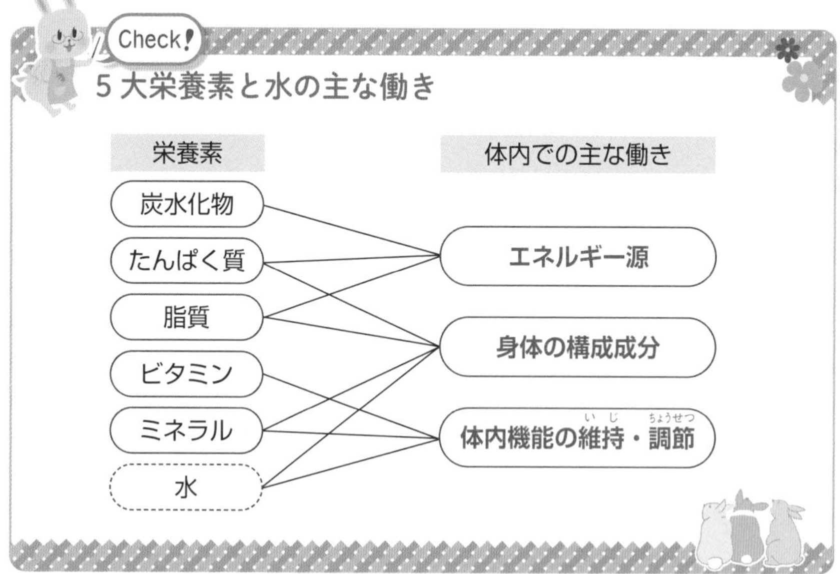

栄養素は、**小腸**から吸収されます。しかし、炭水化物、たんぱく質、脂質はそのままでは大きすぎて吸収できません。

口から入った食べ物は、さまざまな消化をへて、炭水化物は**単糖**に、たんぱく質は**アミノ酸**に、脂肪は脂肪酸とモノグリセリドに分解されて、吸収されます。ビタミンとミネラルは直接小腸で吸収されますが、ビタミンは消化の過程で一部分解されてしまい、分解されなかったものだけが小腸から吸収されます。

◉栄養素の働きと特徴

炭水化物	・**糖質**と**食物繊維**からなる ・糖質は 1g あたり 4kcal のエネルギーを生み出す ・糖質は、分解と吸収が早く、即効性がある ・脳や神経組織は糖質しかエネルギー源として利用できない
たんぱく質	・**アミノ酸**が多数結合したものである ・1g あたり 4kcal のエネルギーを生み出す ・骨格、筋肉、内臓、皮膚などを構成する働きがある ・生きていくために必要不可欠であるが、体内で合成できないため食事から摂取しなければならないアミノ酸（**必須アミノ酸**）が 9 種類ある
脂質	・水にとけないものの総称で、グリセリンと脂肪酸で構成された単純脂質や単純脂質にリンや糖が結合した複合脂質、コレステロールなどの誘導脂質がある ・1g あたり 9kcal のエネルギーを生み出す ・身体の構成成分でもあり、皮膚や脳の構成成分でもある ・必要不可欠だが体内では合成されない**必須脂肪酸**は食事から摂取する
ビタミン	・ほとんどが体内で合成されないため、食品から摂取する必要がある ・**水溶性**ビタミンと**脂溶性**ビタミンに分けられる ・**脂溶性**ビタミン（ビタミン A、D、E、K）は体内に蓄えることができる ・さまざまな種類があり、それぞれに働きが異なる
ミネラル	・身体の構成成分でもあり、特に成長期になくてはならない ・体内ではほとんど合成できない ・日本人の食生活で不足しやすいのは**カルシウム**と**鉄**で、過剰（かじょう）になりやすいのは**ヨウ素**である

2　6つの基礎食品群

栄養素の分類の1つに、栄養素を1〜6群に分類する、「6つの基礎食品群」があります。6つの基礎食品群では、それぞれ、1群は**たんぱく質**、2群は**ミネラル（カルシウム）**、3群は**カロテン**、4群は**ビタミンC**、5群は**炭水化物**、6群は**脂質**を多く含む食品が含まれます。

炭水化物を多く含む**5**群を主食に、たんぱく質の多く含まれる**1**群を主菜、その他の群の食品を副菜として組み合わせ、まんべんなく食品を選ぶことにより、バランスのよい食事になるように考えられています。

この6つの基礎食品群の1、2群を赤色、3、4群を緑色、5、6群を黄色としたものを**3色食品群**といいます。3色食品群では赤色は体をつくる、緑色は体の調子を整える、黄色は力や熱になるものとなっています。

◉6つの基礎食品群と3色食品群

3 食事バランスガイド

食事バランスガイドは、厚生労働省と農林水産省が合同で策定したもので、エネルギーや栄養素について、具体的にどのぐらいの食事を1日にとればよいかをわかりやすく示したものです。

水・お茶などの**水分**を軸としたコマの形をしていて、上から主食、副菜、主菜、牛乳・乳製品、果物と配置されています。上の層のものほど、多く摂取する必要があります。また、それぞれの層ごとに必要な量が「**サービング（SV）**」という単位で示されています。1SVで1皿の料理と数え、gやkcalなどではなく、料理の皿数と1食分の量で示されています。

バランスのよい食生活を崩すと回らなくなりますが、コマを倒さないよう、食品を偏（かたよ）りなくとることで、コマが倒れずに回転を続けられるようにします。食事バランスガイドは、基本的には乳幼児期には使用せず、**学童期**以降に使用してよいとされています。

◉食事バランスガイド

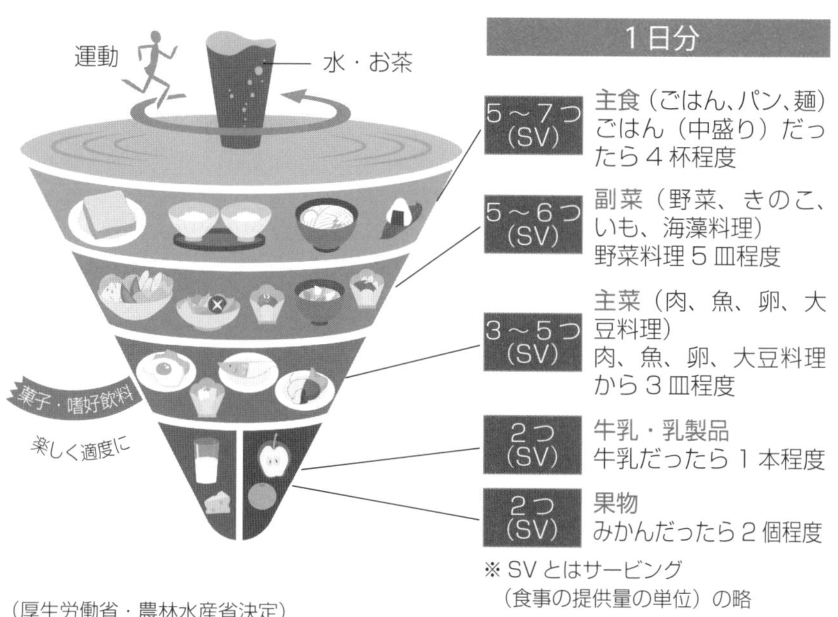

※ SVとはサービング（食事の提供量の単位）の略

（厚生労働省・農林水産省決定）

3 「日本人の食事摂取基準」とは？

1 「日本人の食事摂取基準」とは？

毎日の食事をバランスよく食べることは大切ですが、そもそも人が生きていくためにはどのくらいのエネルギーや栄養素が必要なのでしょうか。それは年齢、性別、体格等によっても異なります。日本人の食生活や食文化をふまえた上で、それについて詳しく示しているのが**「日本人の食事摂取基準」**です。

「日本人の食事摂取基準」とは、国民の健康の保持・増進のために、1日にどのくらいのエネルギーや栄養素を摂取する必要があるのかの基準を示したものです。**5**年に1回改定されますので、2025（令和7）年度からは「2025年版」が使用される予定です。

2 2020年版ではなにが変わったの？

「日本人の食事摂取基準」2020年版では、更なる高齢化等の進展等をふまえ、「**健康の保持・増進、生活習慣病の発症予防及び重症化予防**」に加え、身体・代謝機能が低下しないよう「**高齢者の低栄養予防やフレイル予防**」も視野に入れて策定が行われました。フレイルとは加齢に伴い（ともな）、身体機能が衰えることで、**健常状態と要介護状態の中間的な段階**に位置づけられます。これに伴い、高齢者の年齢区分が65～74歳、75歳以上の2つの区分に分けられ、高齢者のたんぱく質由来エネルギー量の目標量の見直しも行われています。その他にも、2015年版で大幅に変更されたナトリウムの目標量が、2020年版では男性**7.5**g未満、女性**6.5**g未満とさらに厳しくなりました。

Check!

「日本人の食事摂取基準」2020年版 改定のポイント

- 高齢者の**年齢区分**を変更
- 高齢者の**低栄養予防・フレイル予防**
  - ・65歳以上のたんぱく質由来エネルギー量の割合の下限を引き上げ
- **生活習慣病**の発症予防・重症化予防
  - ・成人のナトリウム（食塩相当量）の目標量を引き下げ

3 推定エネルギー必要量とは？

「日本人の食事摂取基準」では、エネルギーについては「**推定エネルギー必要量**」が設定されています。

推定エネルギー必要量とは、1日に必要なエネルギーを性別、年齢別、身体活動レベル（日々の運動量）で示したものです。体格にもよりますが、成人男性では **2,100 ～ 2,700**kcal、成人女性では **1,650 ～ 2,050**kcal 程度です。

身体活動レベルは、6 ～ 7 歳以上から低い（Ⅰ）、ふつう（Ⅱ）、高い（Ⅲ）、の 3 つのレベルに分けられます。

◉乳児期～成人期の推定エネルギー必要量（kcal/ 日）

性 別	男 性			女 性		
身体活動レベル	Ⅰ	Ⅱ	Ⅲ	Ⅰ	Ⅱ	Ⅲ
0 ～ 5（月）	－	550	－	－	500	－
6 ～ 8（月）	－	650	－	－	600	－
9 ～ 11（月）	－	700	－	－	650	－
1 ～ 2（歳）	－	950	－	－	900	－
3 ～ 5（歳）	－	1,300	－	－	1,250	－
6 ～ 7（歳）	1,350	1,550	1,750	1,250	1,450	1,650
8 ～ 9（歳）	1,600	1,850	2,100	1,500	1,700	1,900
10 ～ 11（歳）	1,950	2,250	2,500	1,850	2,100	2,350
12 ～ 14（歳）	2,300	2,600	2,900	2,150	**2,400**	2,700
15 ～ 17（歳）	2,500	**2,800**	3,150	2,050	2,300	2,550
18 ～ 29（歳）	2,300	2,650	3,050	1,700	2,000	2,300

栄養素については「**推定平均必要量**（半数の人が必要量を満たす量）」と「**推奨量**（すいしょうりょう）（ほとんどの人が充足している量）」が設定されています。また、それらを設定できない場合には、「**目安量**」が設定されています。目安量以上を摂取していれば不足しないと考えられます。その他、**過剰摂取**による健康障害を防ぐために、栄養素には「**耐容上限量**（たいようじょうげんりょう）」が、生活習慣病の発症予防を目的としたものには「**目標量**」が設定されています。

4　乳児期の栄養と食生活

1　乳汁栄養

生まれたばかりの子どもは乳汁から栄養をとります。乳汁による栄養には、母乳、人工栄養、それらを組み合わせた混合栄養があります。

母乳には、①感染防御因子（免疫グロブリン IgA、ラクトフェリンなど）が含まれ、抵抗力の低い乳児を守る働きがある、②顔の筋肉や顎の発達が促される、③新鮮で衛生的である、などの利点があります。また、人工栄養児に比べ母乳栄養児のほうが**乳幼児突然死症候群**（SIDS）の発症が少ないという報告があることから、リスク回避のためにも母乳栄養が推奨されています。

一方、母乳にはビタミン K があまり含まれないことから、ビタミン K 欠乏性出血症のおそれがあるという欠点があります。また、母親の飲酒や喫煙、服薬などの影響を受けますので気をつけなければいけません。

人工栄養とは母乳以外の育児用ミルクなどで乳汁栄養を行うことをいいます。育児用ミルクには、乳児用調製粉乳や低出生体重児用ミルクなどが含まれます。乳児用調製粉乳は牛乳をもとに作られていますが、ビタミンやミネラルの添加がなされるなど、乳児用に調整されています。母乳に不足しているビタミン K も添加されています。

2　離乳の意義と進め方

離乳とは「母乳または育児用ミルクから、**幼児食**へ移行すること」をいいます。子どもの成長に伴って、乳汁から得られる栄養では必要な栄養分が足りなくなります。また、咀しゃくや消化の発達を促すため、食習慣の基礎をつくるためにも、離乳する必要があります。

厚生労働省から出された「授乳・離乳の支援ガイド（2019 年改定版）」には、離乳を進める上での目安が示されていますが、離乳の開始から終わりまでを一連の流れととらえることが示されています。

離乳は生後 **5 ～ 6 か月**頃から始めます。体調がよく、食べ物に興味を示し、首のすわりがしっかりとしてきたら始めてよいといわれます。また、スプーンなどを口に入れると舌で押し出す**哺乳反射**が少なくなるということも目安となります。離乳食は 1 日 1 回、つぶしがゆを 1 さじから始め、様子をみながら少しずつ、量や種類を増やしていきます。

7 ～ 8 か月頃からはやわらかな小さなかたまりを舌でつぶして食べる練習をしていきます。離乳食は 1 日 2 回にして生活リズムを確立していきます。この時期には肉なども食べられるようになりますが、脂肪が少ない鶏のささみ肉から始めるようにします。

9 ～ 11 か月頃には 3 回食になります。ここからは離乳食からとるエネルギーや栄養素の割合が増してくるので、緑黄色野菜を使用したり、赤身の魚やレバーなどで鉄が不足しないように気をつけます。**手づかみ食べ**もこの時期からスタートしていきます。

12 ～ 18 か月になったら、3 回食のほかに**補食**も与えます。補食は軽めにして、手づかみ食べを十分にさせます。食べ物を噛(か)みつぶして食べられるようになり、栄養の大部分を食事からとれるようになったら、離乳完了です。いずれの時期にも母乳または育児用ミルクは離乳食のあと、離乳の進行及び完了の状況に応じて与えます。

◉離乳の進め方

月　齢	回　数	食べられるようになる食品	かたさ
5 ～ 6	1	米・白身魚・野菜・果物	**なめらかにすりつぶした**状態
7 ～ 8	2	離乳初期の食品＋鶏卵(けいらん)、鶏のささみ肉	**舌でつぶせる**かたさ
9 ～ 11	3	離乳後期の食品＋牛・豚赤身肉、貝類	**歯ぐきでつぶせる**かたさ
12 ～ 18	3 ＋補食	大人と同じ	**歯ぐきで噛める**かたさ

3　離乳食で気をつける食品

離乳食で気をつけなければならない食品には、**はちみつ**、**卵**、**牛乳**があります。

はちみつは乳児ボツリヌス症予防のために 1 歳まで使用しません。また、**卵**は卵白に食物アレルギーを引き起こす可能性のあるアレルゲンが含まれるため、固ゆでの卵黄から始め、全卵にすすめます。**牛乳**は調味料としての使用は離乳食でも可能ですが、そのまま飲ませるのは 1 歳以降とします。

5 幼児期の栄養と食生活

1 幼児期の食機能の発達

幼児は咀しゃく機能が十分に発達していないので、食材のかたさに気をつける必要があります。この時期に**奥歯**が生えそろうため、かたいものを噛みつぶして食べることが可能となります。また、幼児は免疫力が低く、消化機能も発達していないため、生のままの食材を与える際には食品の衛生面にも気をつける必要があります。

18 か月までは手づかみ食べをさせ、その後スプーンやフォークに移行します。指の発達を考慮すると、はしの使用は 3 歳からがよいとされています。また、幼児期は生活リズムなどの生活習慣が確立する時期でもあるため、規則正しい生活を心がけることが大切です。

2 幼児期の栄養

「日本人の食事摂取基準（2020 年版）」によると、1 ～ 2 歳で **900 ～ 950**kcal、3 ～ 5 歳で **1,250 ～ 1,300**kcal のエネルギーが 1 日に必要です。これを 3 回の食事と間食でとります。離乳が終わったからといって、すぐにすべて大人と同じ食事にしてよいわけではありません。**薄味**を心がけ、主食、主菜、副菜のそろった献立にするように心がけることが大切です。

3 間食の必要性と与え方

幼児の間食は大人の間食とは違い、**食事の一部**と考えます。大人に比べ、幼児は胃が小さいので一度にたくさんの食べ物を食べることができません。そのため、幼児の間食には食事で不足する栄養素や水分を補う働きがあります。

また、**間食**には栄養的な役割だけでなく、子どもにとって「楽しみ」という精神的役割や「手洗い・マナー」などを子どもが積極的に身につけようとする教育的役割もあります。

間食は 1 日 1 回または 2 回で、食事に支障をきたさないようにします。幼児食と同様に、間食についても味付けは**薄味**にして、市販品ばかりに頼らず、季節の食材を使って手作りするとよいでしょう。食事の一部ですから、お菓子に限らず、小さいおにぎりやパンなど食事に近いものでもよいです。

6 学齢期・思春期の栄養と食生活

1 学齢期・思春期の特徴と食生活

小学１～６年生（学童期）と中学１～３年生までを合わせた６～15歳までを学齢期、第二次性徴の始まりから成長の終わり（8～18歳頃）までを思春期といいます。学童期や思春期には、生活リズムが乱れる、朝食の欠食が増える、過度（かど）なダイエットや肥満が多くなるなど食に関する問題が多くみられます。

学齢期・思春期は一生のなかで最も多くのエネルギーまたは栄養素を必要とする時期で、男子は15～17歳で**2,800**kcal、女子は12～14歳で**2,400**kcalと人生で最も多くのエネルギーを摂取しなければなりません。

また、思春期には急激な身体的発育により血液量が増加するので**鉄分**の需要が増え、さらに女性は過度なダイエットによる食事制限や月経による失血などにより鉄欠乏性貧血が多くみられる時期でもあります。鉄の推奨量が最も多い年齢は男性が**12～17**歳、女性が**10～14**歳で、男性**10.0**mg/日、女性**12.0**mg/日（月経ありの場合）程度です。

2 学校給食

学校給食は1889（明治22）年に貧困（ひんこん）児童を対象に昼食を提供したのが始まりとされていて、**学校給食法**に基づき、実施されています。学校給食には健康の保持増進を図るだけでなく、食事についての正しい理解と判断力を身につけることや伝統的な食文化について理解を深めることなどさまざまな目標があります。学校給食では「**日本人の食事摂取基準**」の数値をもとに策定された「学校給食実施基準」に基づき、栄養量が決められています。また、これらの給食の実施状況や米飯給食の実施状況などは毎年度、学校給食実施状況等の調査により詳細に調べられています。

また、栄養教諭（えいようきょうゆ）制度の創設と学校給食法の改正を通して、給食は学校において**食育（しょくいく）を推進**するための重要な教育活動と位置づけられました。これを食に関する指導といい、給食の時間だけでなく、教科（社会、理科、体育、家庭科など）、道徳や特別活動、総合的な学習の時間など、学校の教育活動全体のなかで幅広く行われています。このように学校給食を実施しながら、同時に健康と食生活について指導を行っているのです。

7 妊娠期・授乳期の食生活

1 妊娠期の食生活

胎児は 40 週かけて発育します。妊娠期は、胎児の発育のためにも母体のためにも食生活の管理が大切です。

妊娠初期には①ビタミン A の過剰摂取に気をつけ、②神経管閉鎖障害発症（しんけいかんへいさ）のリスクを減らすために**葉酸**（ようさん）を積極的にとります。

妊娠・授乳期の飲酒や喫煙は胎児や乳児の発育に影響を与えます。特に、喫煙は胎盤（たいばん）に血液が流れにくくなり、乳幼児突然死症候群（SIDS）などのリスクが高まりますので、気をつけなければなりません。

2 妊娠前からはじめる妊産婦のための食生活指針

「妊娠前からはじめる妊産婦のための食生活指針」には、**妊娠前**から妊娠期・授乳期までの食生活のあり方について書かれています。具体的には、主食・主菜・副菜のとり方や**カルシウム**を十分にとること、体重増加や**お酒**・**たばこ**に関する記述がみられます。

3 妊娠期・授乳期の食事摂取基準

「日本人の食事摂取基準（2020 年版）」では、妊娠・授乳による栄養必要量の増加分を、**付加量**、または**推奨量**として示しています。

Check!

妊娠期の付加量（推奨量）

	エネルギー（kcal/日）	たんぱく質（g/日）	鉄（mg/日）
妊婦の付加量			
初期	＋ 50	＋ 0	＋ 2.5
中期	＋ 250	＋ 5	＋ 9.5
後期	＋ 450	＋ 25	＋ 9.5
授乳婦の付加量	＋ 350	＋ 20	＋ 2.5

8 児童福祉施設での食生活

1 児童福祉施設の特徴

児童福祉施設とは、児童の福祉のための施設の総称で、保育所や乳児院もこれに含まれます。**児童養護施設**や**知的障害児施設**など、身体的、精神的、社会的にハンディキャップをもっている児童を養護、療育するとともに自立を支援することを目的とした施設も含まれます。

児童福祉法には施設の設備と運営について定められた「児童福祉施設の設備及び運営に関する基準」があり、食事についても決められています。献立は**健全な発育に必要な栄養量**を含むものであること、栄養状況や入所者の身体的状況や嗜好を考慮すること、献立をあらかじめ作成し、調理を行うことなどが決められています。

入所施設では１日３食、通園施設では１日１食、給食が提供されます。保育所や乳児院等では**保健食**、重症心身障害児施設などでは**治療食**がそれぞれ提供されています。

2 児童福祉施設における給食の役割と食生活

給食の役割には、望ましい生活習慣や食習慣の基礎をつくることや食事の準備や調理などを体験しながら知識や技術を身につけていくことがあり、これらの経験の積み重ねにより「**食を営む力**」を育成し、最終的には**社会的自立**を目指します。

食事提供では入所前の成育歴から発育と発達の状況や栄養状態を把握しておく必要があります。乳汁の場合には授乳の時刻や回数、量、温度に配慮し、与えるときには優しく声掛けして、複数人いてもそれぞれ**個別に対応**することが大切です。離乳食、幼児食については子どもの咀しゃく・嚥下機能などの発達に合わせ、適切な量、大きさ、固さで提供すること、適切な食具で提供すること、地域の食文化に対応した食事内容や行事食を取り入れることも大切です。子ども自身の食べたい気持ちを引き出し、尊重します。また、特別な配慮が必要な子どもには一人ひとりの心身の状態などに応じ、かかりつけ医も含め、すべての職員で**情報を共有**し、協力して適切に対処する必要があります。

9 食育とは？

1 食育とは？

食育とは、生きる上での基本であって、知育・徳育・体育の基礎となるものであり、さまざまな経験を通じて「食」に関する知識と「食」を選択する力を習得し、**健全な食生活**を実践することができる人間を育てることをいいます。また、食文化の継承や食を通じて地域等を理解すること、自然の恵みや勤労の大切さなどを理解することも食育の１つであるといえます。

農林水産省（2015〔平成 27〕年度までは内閣府）が「**食育推進基本計画**」を定め、これに基づき、関係省庁が連携してさまざまな施策を実施しています。

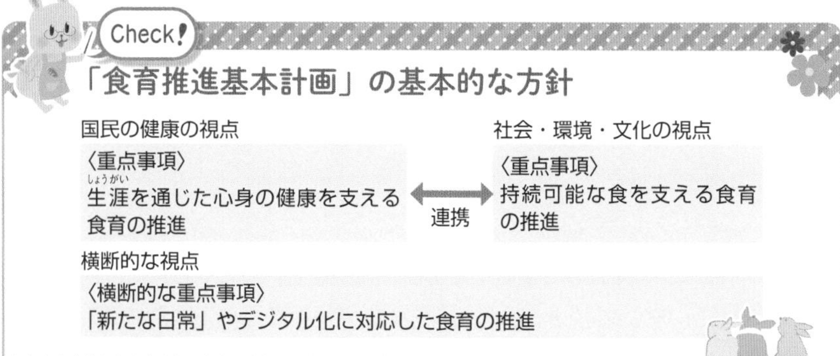

2 食育基本法

食育基本法は、食生活の乱れや朝食の欠食などの問題点を受けて、国民が生涯にわたって**健全な心身**を培い、**豊かな人間性**を育むための食育を推進することを目的として、2005（平成 17）年に制定されました。

条文 check!

食育基本法

第２条　食育は、食に関する適切な判断力を養い、生涯にわたって健全な食生活を実現することにより、国民の心身の健康の増進と豊かな人間形成に資することを旨として、行われなければならない。

3 保育所における食育の目標と内容

保育所においても食育を行う必要があります。保育所における食育は、「**食を営む力**」の育成に向け、その基礎を培うことを目標とし、**5つの子ども像**の実現を目指しています。この5つの子ども像は「保育所保育指針」の保育の目標を食育の観点から具体的な子どもの姿として表したもので、小学校就学前までにその基礎を固めることが期待されています。保育所において食育の目標を設定する上での留意点として大切なことは、それぞれの園によって保育目標も異なるため、食育の目標が独立することなく、その園の保育目標を達成するために必要な食を通した活動として設定することです。

Check!

5つの子ども像

- お腹がすくリズムのもてる子ども
- 食べたいもの、好きなものが増える子ども
- 一緒に食べたい人がいる子ども
- 食事づくり、準備に関わる子ども
- 食べ物を話題にする子ども

4 「楽しく食べる子どもに～食からはじまる健やかガイド～」

食育基本法の公布に先駆けて、「楽しく食べる子どもに～食からはじまる健やかガイド～」が通知されています。

食育を推進していく上で、乳幼児期から学童期の発達過程に応じて子どもがどのように食べる力を育んでいくのか、子どもの「**食べる力**」について記載されています。

授乳・離乳期には安心と安らぎのなかで食べる意欲の基礎づくり、幼児期には食べる意欲を大切に**食の体験**を広げる、学童期には食の体験を深め食の世界を広げる、思春期には自分らしい食生活を実現し、健やかな食文化の担い手になることを通して、楽しく食べる子どもに発達していくことが期待されます。このガイドラインには「食べる力」やこれを育むための実際の支援例についても示されています。

10 子どもの食生活で気をつけること

1 食中毒

食中毒とは、病原性微生物が増殖した食品などを摂取した結果、生じる急性の健康障害のことです。食中毒には大きく分けて、①病原性微生物等による**食中毒**、②有機水銀など**化学物質**による食中毒、③ふぐ毒や毒きのこのような**自然毒**による食中毒があります。病原性微生物による食中毒は家庭や施設の不適切な管理により起こる可能性があるので、注意が必要です。

子どもは抵抗力が弱く消化機能が未熟なので、同じ量を食べても大人よりも食中毒になりやすいため衛生面に気をつけます。保育所においても、食事提供や親子クッキング等の食育の際に食品を扱うことがあるので、保育者も十分に配慮し、適切に管理する必要があります。食中毒予防の 3 原則は「**つけない、増やさない、やっつける**」です。

「**つけない**」は菌をつけないように清潔に保つということで、手をよく洗う、調理器具を清潔に保つことがあげられます。「**増やさない**」は迅速に提供するということで、調理後、菌が増える前にすぐに食べることや食品の消費期限を守ることがあげられます。「**やっつける**」は食品を加熱するということです。菌は 60℃前後で死滅しますので、食品の中心温度が **75℃以上**になるように **1 分以上**加熱することによって食中毒を予防します。

きをつけよう！

食中毒の分類		原　因
病原性微生物等によるもの	細菌性感染型	**病原性大腸菌、サルモネラ、カンピロバクター**など
	細菌性毒素型	**黄色ブドウ球菌、ボツリヌス菌、セレ**ウス菌など
	ウイルス性	**ノロウイルス**など
	寄生虫	**アニサキス**など
化学物質によるもの		有機水銀、ヒ素、残留農薬など
自然毒によるもの	動物性	貝毒、ふぐ毒など
	植物性	毒きのこ、ジャガイモの芽など

2 食物アレルギー

食べ物を身体が異物としてとらえ、身体に有害な症状を引き起こすことを食物アレルギーといいます。アレルギーの原因となるものは主に食べ物に含まれる**たんぱく質**で**アレルゲン**といいます。

これらの症状が急激かつ複数同時に現れることを**アナフィラキシー**といい、血圧低下や意識レベルの低下など、生命の危険を伴うショック状態を**アナフィラキシーショック**といいます。

健康への危害を避けるため、アレルギー物質を含む食品（**特定原材料等**）が定められています。そのうちの８品目は、加工食品に使用した場合、包装に表示が義務づけられています。その他の「特定原材料に準じるもの」である20食品も表示が推奨されています。

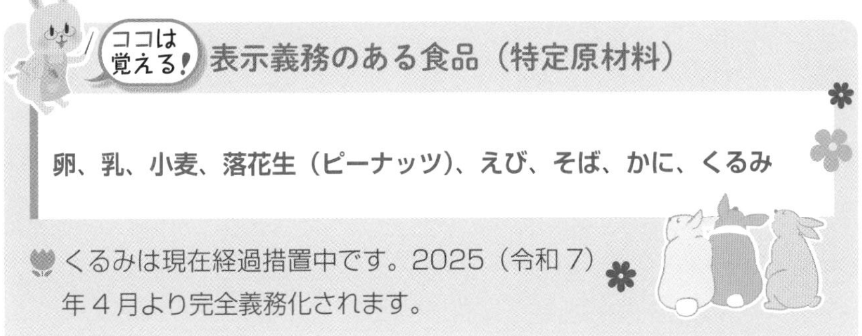

全年齢における食物アレルギーの原因食品で最も多いのは**鶏卵**で、次いで**牛乳**、**木の実類**です。離乳食など初めての食品への挑戦は日中の病院が開いている時間に行うと安心です。

集団生活の場では思いがけないところでアレルギー児が誤って原因食品を口に入れてしまうこともあります。例えば、保育者の知らないうちに、他の子からおやつをもらったり、他の子どもがこぼしたものを口にしたりすることがあるので、保育者は食事時間のアレルギー児には特に注意し、また他の子どもへも指導していきます。

食物アレルギーの治療は、原因となる食物の除去ですが、必要以上に食物除去をすると発育に影響を与えることがあるので、正しい知識をもった上で、医師と相談しながら進めます。

ここでチャレンジ！

一問一答で確認してみましょう。○×を答えてね。
ただし、（　★　）は穴埋め問題です。入る言葉を答えましょう。

問 1
check!
□□
脂質は、1g あたり 4kcal のエネルギーを供給する。

問 2
check!
□□
6 つの基礎食品群で栄養素を 1 ～ 6 群に分類すると、3 群は（　★　）である。

問 3
check!
□□
食事バランスガイドは、エネルギーや栄養素について具体的に 1 日にどれくらいの食事をとればよいかを g などの量でわかりやすく示したものである。

問 4
check!
□□
5 ～ 6 か月児の離乳食には栄養の豊富なはちみつでとろみをつけるとよい。

問 5
check!
□□
保育所における食育で目指す子ども像の一つに「お腹がすくリズムのもてる子ども」がある。

問 6
check!
□□
「日本人の食事摂取基準（2020 年版）」によると、1 ～ 2 歳で 900 ～ 950kcal、3 ～ 5 歳で 1,250 ～ 1,300kcal のエネルギーが 1 日に必要である。

問 7
check!
□□
全年齢でアレルギーの原因食品として最（もっと）も多いのは、（　★　）である。

答 1 ×

1g あたり 9kcal と効率的にエネルギーを供給する。糖質とタンパク質が 1g あたり 4kcal である。

答 2 カロテン

6 つの基礎食品群は 1 群にたんぱく質、2 群にミネラル（カルシウム）、3 群にカロテン、4 群にビタミン C、5 群に炭水化物、6 群に脂質を多く含む食品が含まれる。

答 3 ×

食事バランスガイドでは 1 日に必要なエネルギーや栄養素について g ではなく、サービング（SV）で示されている。

答 4 ×

はちみつは乳児ボツリヌス症予防のためにも、1 歳未満には与えてはいけない。

答 5 ○

目指す子ども像は 5 つあり、この他に、「食べたいもの、好きなものが増える子ども」「食べ物を話題にする子ども」等がある。

答 6 ○

3 回の食事と 1 ～ 2 回の間食で、これらのエネルギーをとっていく。

答 7 鶏卵

次いで「牛乳」「木の実類」などがあげられる。

保育実習理論

ここでは、保育所保育の目標や、音楽、造形、言語などの表現について学びます。保育の現場で総合的に実践できるような応用力を身につけるための科目です。

1 保育所での保育

1 保育実習理論とは？

「保育実習理論」は、これまでみてきた、保育に関するすべての科目についての知識をもとに、「保育所保育指針（ほいくしょほいくししん）」に示されている、**保育のねらい**や**内容**などを理解し、実際に保育を実践するための理論です。保育の現場で総合的に実践できる応用力を身につけます。

音楽、造形（ぞうけい）、言語などの表現に関する分野については、特に高い専門性が求められます。

2 保育の養護の側面

保育所での保育は、「**養護**（ようご）の側面」と「**教育**（きょういく）の側面」の２つの側面を考えて行われ、さらに養護の側面は子どもの健康や安全を守る「**生命の保持**」と一人ひとりの子どもを受け止め、子どもが**安心**できるような関わりや、**環境**（かんきょう）をつくる「**情緒の安定**」に分けられます。

◉保育士は、例えば子どものこんなところをみています。

・元気かな。
・顔色はどうかな、熱はないかな。
・しっかり寝たかな。
・きちんとご飯を食べているかな。
・清潔にできているかな。
・保育所には慣れたかな。
・楽しく過ごせているかな。
・いま、どんな気持ちかな。

3　保育の教育の側面

「**教育の側面**」は、①**健康**、②**人間関係**、③**環境**、④**言葉**、⑤**表現**の５つの領域(りょういき)に分けられています。保育士は、子どもの健(すこ)やかな成長と、その活動がより豊かに展開されることを考えて発達を援助(えんじょ)します。そのときに大切にしているのが、この５領域です。

Check!
５領域はこんな領域です

健　康	健康な心と体を育て、健康で**安全**な生活をつくり出す力を養います
人間関係	**自立心**を育て、人と関わる力を養います
環　境	**環境**に好奇心や探究心をもって関わり、それらを生活に取り入れていこうとする力を養います
言　葉	自分なりの言葉で表現し、相手の話す言葉を**聞こうとする**意欲(いよく)や態度を育て、言葉に対する感覚や言葉で**表現する**力を養います
表　現	豊かな感性や表現する力を養い、**創造性**を豊かにします

乳児については、発達から５領域を大まかな視点でとらえます。

子どもが楽しく活動する中で、保育士は子どもの成長をきちんと考えています。

4　保育の形態

では、保育はどのように展開されているのでしょうか。保育士は、いくつかの保育の形態（方法）から、その保育内容にはどの形態が一番よいのかを考えます。主な保育形態には、**子どもの主体性**(しゅたいせい)を尊重し、子どもが自由に活動を選ぶ自由保育と、**保育者主導**で全員が同じ活動をする一斉保育があります。**異年齢保育**(いねんれい)では、異なる年齢の子どもが一緒に活動します。

どの保育形態を選択した場合でも子どもが**主体的**(しゅたいてき)に取り組めるように、保育士はねらいをもって保育を展開しています。また、発達や年齢などの違いがあっても子どものやりたい気持ちを尊重し、意欲的に取り組めるような援助が必要となります。

2 児童福祉施設とは？

1 児童福祉施設とは？

児童福祉施設は、児童の**福祉**に関する事業を行う、児童福祉法第７条によって定められた 13 種類の施設のことです。乳児院（にゅうじいん）、保育所、幼保連携型認定（ようほれんけいがたにんてい）こども園、児童養護施設などがあります。

児童福祉施設には、利用者がそこで生活している乳児院や児童養護施設などの**入所型**の施設と、保育所や児童発達支援センターなどの利用者が通って利用する**通所型**の施設とがあります。

ココは覚える！ 児童福祉施設の種類

①助産施設、②**乳児院**、③**母子生活支援施設**、④保育所、⑤幼保連携型認定こども園、⑥児童厚生施設、⑦**児童養護施設**、⑧障害児入所施設、⑨児童発達支援（じどうはったつしえん）センター、⑩**児童心理治療施設**、⑪**児童自立支援施設**、⑫児童家庭支援センター、⑬**里親支援センター**

児童館や児童遊園は児童厚生施設といいます。

2 児童福祉施設はどう運営されるの？

幼保連携型認定こども園以外の児童福祉施設の運営（うんえい）については、「**児童福祉施設の設備及び運営に関する基準**」でそれぞれに定められています。幼保連携型認定こども園については、「**幼保連携型認定こども園の学級の編制、職員、設備及び運営に関する基準**」に定められています。

Check!

プライバシーを保護することが保育者には求められ、実習で作成する日誌では、**個人名を記載**しない場合が多いです。

3 職員の配置

児童福祉施設には、保育士のみでなく、それぞれの施設に応じて、嘱託医や、看護師、家庭支援専門相談員、栄養士などのさまざまな専門職種の職員が配置されています。そのため、職員同士の連携（チームワーク）もより求められます。それぞれの職種の**専門性**を発揮しながら**情報交換**をした上で、一人ひとりの子どもを理解し、施設を運営していくことが必要です。

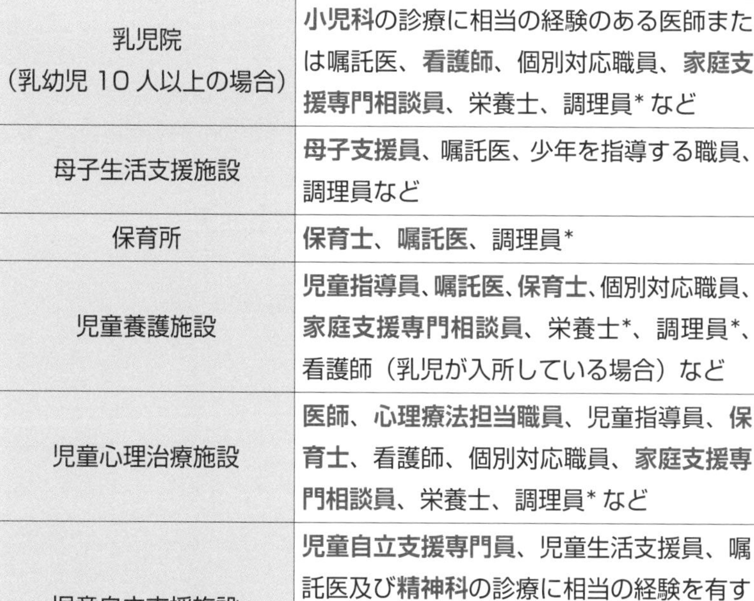

例えばこんな職員が配置されます

乳児院 （乳幼児 10 人以上の場合）	**小児科**の診療に相当の経験のある医師または嘱託医、**看護師**、個別対応職員、**家庭支援専門相談員**、栄養士、調理員* など
母子生活支援施設	**母子支援員**、嘱託医、少年を指導する職員、調理員など
保育所	**保育士**、**嘱託医**、調理員*
児童養護施設	**児童指導員**、**嘱託医**、**保育士**、個別対応職員、**家庭支援専門相談員**、栄養士*、調理員*、看護師（乳児が入所している場合）など
児童心理治療施設	**医師**、**心理療法担当職員**、児童指導員、保育士、看護師、個別対応職員、**家庭支援専門相談員**、栄養士、調理員* など
児童自立支援施設	**児童自立支援専門員**、児童生活支援員、嘱託医及び**精神科**の診療に相当の経験を有する医師または嘱託医、個別対応職員、**家庭支援専門相談員**、栄養士*、調理員* など

* 条件によっては置かないこともできます

児童福祉施設については、「社会的養護」など、他の科目でも勉強したね。もう一度確認しよう！

3 子どもの音楽表現

1 音楽表現のねらい

保育における音楽表現のねらいは、子どもたちが音楽に**親しみ**をもち、**楽しさ**を味わうことです。歌を歌ったり、手遊びをしたり、リズムに合わせて身体を動かす等の音楽活動を通して豊かな感性や心の成長を育(はぐく)みます。

保育士は**いろいろな音楽**を知り、子どもたちと音楽との出会いを大切にしなければなりません。保育実習理論では、メロディに伴奏(ばんそう)をつける・子どもの音域に合わせるために移調する、といった実践に必要な基礎知識として、音名・楽譜(がくふ)・音階・和音・音楽用語などを学びます。

2 子どもの音楽に大事なこと

保育士は、子どもの発達や状況に応じて、音楽を楽しむことができるよう、音楽環境を含めて考える必要があります。

楽曲を選ぶ際には、子どもにも**わかりやすい歌詞**のものや、音やリズムが**明るく**、**楽しい**感じが伝わるものがよいでしょう。お絵かき歌や手遊び歌なども、自然と音楽に触れることができ、音楽に親しみ、楽しさを体感しやすいものです。

成長途中の幼児には、大人のような広い音域の歌は難しいので、**無理なく歌える音域**の曲を選ぶ必要があることに気をつけましょう。

歌い継(つ)がれる童謡や唱歌には言葉とメロディの自然な美しさがあります。また、世界の民謡には楽しいリズムがあります。季節や行事、発達に合った選曲を心がけます。

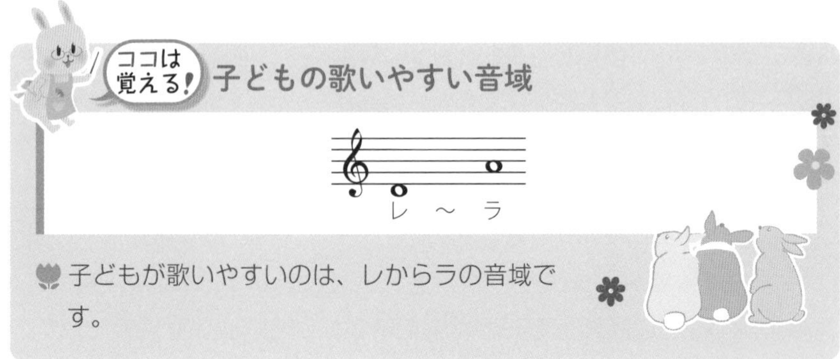

3 楽曲や音楽に関する用語

音楽には、いろいろな楽曲があります。舞曲(ぶきょく)は「拍子(ひょうし)」の起源です。テンポの違いもみておきましょう。

◉楽曲の種類

ワルツ	3拍子の比較的速い舞曲	ポルカ	チェコの舞曲で速い2拍子
メヌエット	フランス発祥(はっしょう)の3拍子の舞曲（歩く速さ）	マーチ	行進曲。2拍子もしくは4拍子

4 子どものうた　日本の音楽

よい歌は歌い継がれていきます。**どんなリズム**のメロディか、作詞作曲は誰かなどもみておきましょう。**わらべうた**のような伝承歌(でんしょうか)には作詞作曲者などはありません。能や歌舞伎など伝統的な日本の音楽にも触れておきましょう。

◉子どもの音楽と作詞・作曲家

作詞	まど・みちお	「ぞうさん」「やぎさんゆうびん」など
	北原白秋(きたはらはくしゅう)	「あわて床屋」「ペチカ」「この道」など
作曲	團伊玖磨(だんいくま)	「やぎさんゆうびん」「おつかいありさん」など
	山田耕筰(こうさく)	「赤とんぼ」「ペチカ」など

※実技課題曲は「日本の歌百選」などから選曲されています。

5 楽器の種類

保育の現場では、いろいろな楽器が使われます。

ピアノ・ギター アコーディオン 鍵盤ハーモニカなど	グランドピアノの鍵盤数は88鍵。ギターの弦は6本。アコーディオンや鍵盤ハーモニカはリード楽器と呼ばれます

※日本の楽器、色々な国の楽器にも触れておきましょう。

6 音楽教育に関する人物

鈴木三重吉	童謡の普及を目指し「赤い鳥運動」を牽引した
小林宗作	自由で音楽的な教育を理想とし、トモエ学園を設立
エミール・ジャック＝ダルクローズ	身体運動を通じて音楽を学ぶリトミックを考案したスイスの音楽家

4 楽譜と音楽の基礎知識

1 5線譜と音部記号

楽譜は、耳で聞く音楽を目にみえる形にしたものです。5本の線（5線譜）に音の高さと長さがひとめでわかるように、音符で書かれています。5線譜は下から第1線、第2線、と数えます。

楽譜の左端にある 𝄞 を**ト音記号**（高音部記号）、𝄢 を**ヘ音記号**（低音部記号）といいます。

ト音記号は、記号を書くときのスタート位置である第2線が「ソ」の高さです。ソの音を、日本名で「ト音」ということから名づけられました。高い音を表すときに使われるので、高音部記号ともいいます。

ヘ音記号は、記号を書くときのスタート位置である第4線が「ファ」の音です。ファの音は、日本名で「ヘ音」ということから名づけられました。低い音を表すときに使われるので、低音部記号ともいいます。ト音記号、ヘ音記号を、音部記号といいます。

◉ト音記号とヘ音記号

ちょうちょう（スペイン民謡）

ト音記号の楽譜は、主に右手でメロディを弾くときに使われます。

ヘ音記号の楽譜は、主に左手で伴奏を弾くときに使われます。

ト音譜表とヘ音譜表は、中央の「**ド**」が共通です。ヘ音譜表の音の高さがわからなくなったら、中央の「ド」から「ドシラソファミレド」とおりていって確認する方法もあります。

2 音名とは？

音名とは、音の名前のことです。よく聞く「**ドレミファソラシ**」はイタリア音名、日本では「**ハニホヘトイロ**」といいます。「**ハ**長調」「**ト**長調」など、調の名前にも使われています。

和音を示すコードネームでは**英音名**が使われます。

◉いろいろな音名

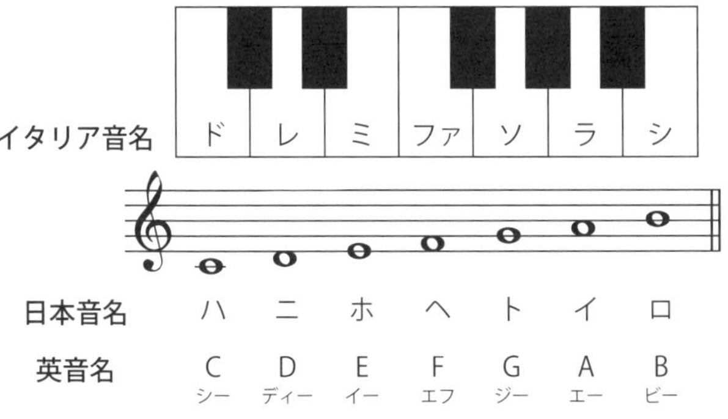

イタリア音名は実際に書かれた音だけでなく、音階上の位置を示す「階名（かいめい）」として使われることもあります。

3　変化記号

音の高さを変化させる記号に♯（シャープ）や♭（フラット）、♮（ナチュラル）があります。変化記号には「**調号**（ちょうごう）」と「**臨時記号**（りんじ）」があります。

ト音記号やヘ音記号のすぐ右側の、♯や♭を「**調号**」といいます。「ト長調」「へ長調」など調を決める記号です。♯のついた位置は音階の７番目、♭は音階の４番目の音を示しています。調号は曲全体を通して♯や♭をつけて演奏します。調号はどこにどの順番でつくかが決まっています。ここでは子どもの曲に多い長調の場合で説明します。調号がなにもついていなければ「**ハ長調**」です。

◉調号のつきかた

	１つだけつくとき	２つつくとき	３つつくとき
♯	ト長調	ニ長調	イ長調
♭	ヘ長調	変ロ長調	変ホ長調

4　臨時記号

♯や♭には、曲の途中で一時的に音の高さを変える役割もあります。臨時記号と呼ばれます。音を半音高くするのは「♯」**シャープ**（**嬰**（えい）記号）で、音を半音低くするのが「♭」**フラット**（**変**（へん）記号）です。また、変化させた音を元の高さに戻す「♮」**ナチュラル**（**本位**（ほんい）記号）があります。変化記号の♯や♭が有効なのは、原則としてその小節（線と線のなか）内ですが、近いところにその音があれば♮をつけることもあります。

◉調号と臨時記号

調　号	♯　♭	**楽譜の最初**に各段にまとめて書かれる	高さにかかわらず効力
臨時記号	♯　♭　♮	直接音符に書かれる	１小節内の**同じ高さの音**にだけ効力

●変化記号のついた音（日本音名）と鍵盤の位置

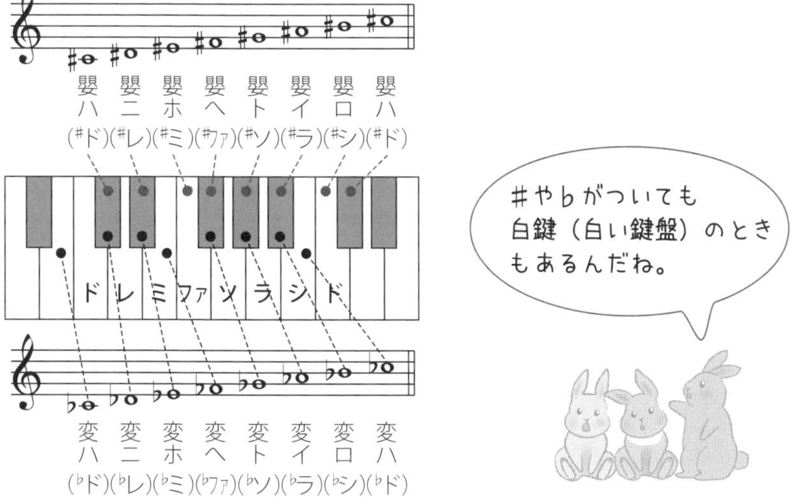

5 音程とは？

音程とは**音と音の距離**のことです。最初の音も数に入れて、1度、2度と数えます。8度で1オクターブです。音程は、音域が合わず歌いにくいときなどに調を変える「**移調**」をするときや、和音の構成音を考えるときなどに必要になります。

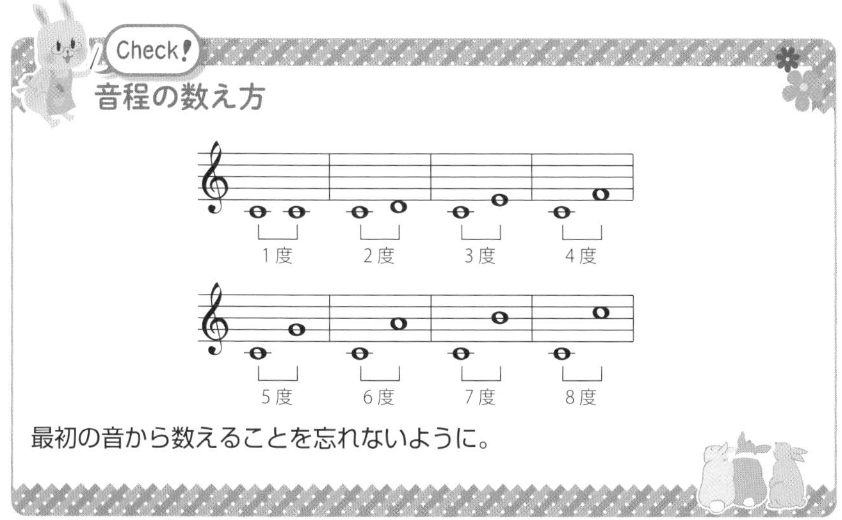

6 半音と全音

音程には種類があります。「ドとレ」「ドと♭レ」はどちらも２度ですが、音の幅が違います。音の幅には**「半音」**と**「全音」**という数え方があります。

半音は、白鍵（白い鍵盤）、黒鍵（黒い鍵盤）に関係なく、**隣りあっている音の幅**です。隣りあっていれば白鍵と黒鍵でも、白鍵と白鍵でも半音です。

全音は、半音２つ分の幅で、間に鍵盤を１つはさんだ音です。

「ドレミファソラシド」のなかでは、ミとファ、シとドの間が**半音**で、それ以外は**全音**です。

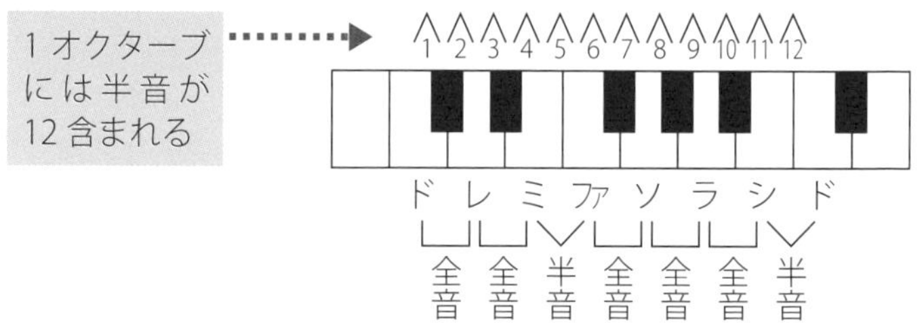

半音の幅の２度を**「短２度」**、全音の幅の２度を**「長２度」**と呼びます。「ミとファ」「シとド」の半音を含む３度音程は**「短３度」**、含まない３度音程は**「長３度」**です。音程の種類は、音階上の音程をもとに考えます。

7 長音階とは？

長音階は１オクターブを全・全・半・全・全・全・半（音）という順番で区切った音階です。音階の３・４番目、７・８番目が半音であとは全音です。どの音から始めても、同じ並びにすれば、長音階をつくることができます。「ドレミファソラシド」はドが日本音名「ハ」の音なので、**「ハ長調」**の音階といいます。

「レミファソラシドレ」は全・半・全・全・全・半・全という並びなので、半音の位置が異なります。ファとドに♯をつければ長音階の並びになります。レ＝日本音名「ニ」から始まる長音階なので**「ニ長調」**の音階です。

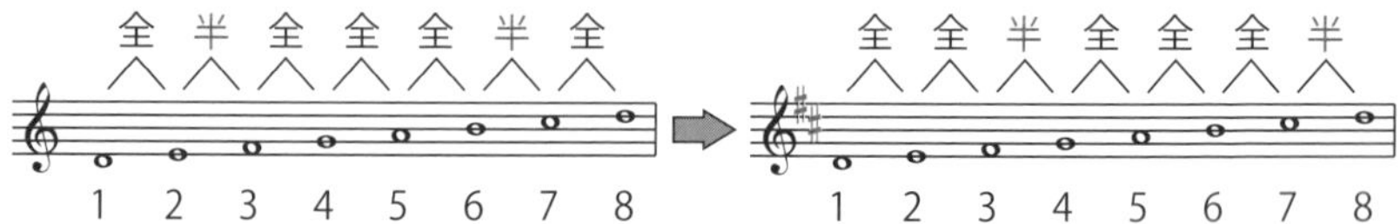

5 和音

1 和音とコードネーム

和音とは、高さの異なる2つ以上の音が同時に演奏された音です。英語では「コード」といいます。

2 三和音

① 3つの音が3度ずつ積み上げられてできた和音を三和音といいます。各音の名称は下から**根音**・第3音・第5音です。**根音**を一番下にした形が基本形で、第3音、第5音を下にした形を転回形といいます。

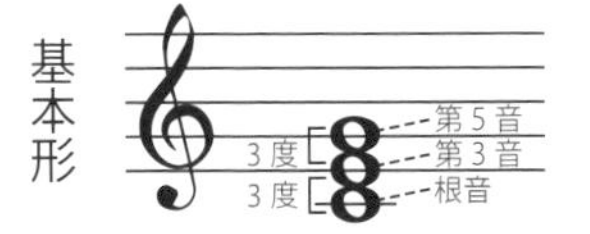

②音階に和音をつくると次のようになります。

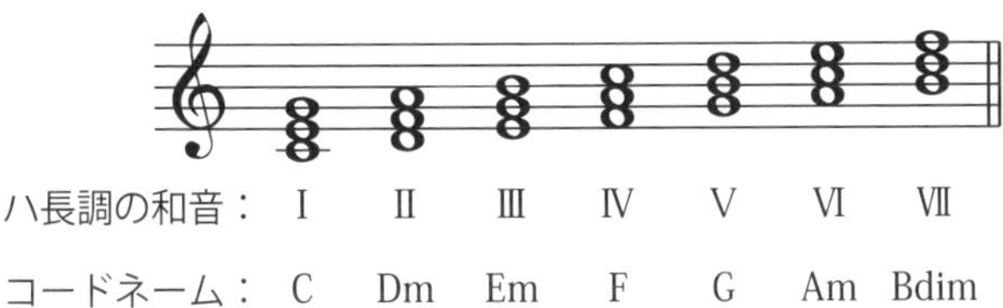

音階上の三和音は順番にローマ数字で表され、Ⅰ度の和音、Ⅱ度の和音……と呼びます。位置によって和音の種類が決まります。

Ⅰ度、Ⅳ度、Ⅴ度の和音は伴奏に使われる重要な和音で「主要三和音」といいます。どれも根音から第3音が長3度で構成される「**長三和音**」です。英語では「**メジャーコード**」といいます。

Ⅱ度、Ⅲ度、Ⅵ度は根音から第3音が短3度で構成される「**短三和音**」です。英語では「**マイナーコード**」といいます。

Ⅰ度からⅥ度の和音は根音から第5音に半音が1か所入っています。その音程を「完全5度」といいます。Ⅶ度の和音は根音から第5音に半音が2か所入る5度音程なので「減5度」といい、和音の種類は「**減三和音**」です。英語では「**ディミニッシュコード**」といいます。

6 音楽の記号と専門用語

1 演奏方法を表す記号

楽譜にはさまざまな記号が使われています。また、用語にはイタリア語が用いられています。

◉演奏方法を表す記号

記号	説明
タイ	隣り合った同じ高さの音符をつなぎます。つながれた音符は**1つの音**として演奏されます
スラー	⌣ でつながれた音から音または音群を**なめらかに**（legato（レガート））演奏するという意味です
スタッカート	音を**短く切って**演奏します
フェルマータ	**任意**の長さ（通常は**2倍程度**）に延ばして演奏します

2 強弱を表す記号

◉段階的な強弱の変化を表す記号

記号	読み	意味
cresc.	クレッシェンド	だんだん**強く**
decresc.	デクレッシェンド	だんだん**弱く**
dim.	ディミヌエンド	だんだん**弱く**

◉一定の強弱を表す記号

記号	読み	意味
ff	フォルティッシモ	とても**強く**
f	フォルテ	**強く**
mf	メッゾフォルテ	少し**強く**
mp	メッゾピアノ	少し**弱く**
p	ピアノ	**弱く**
pp	ピアニッシモ	とても**弱く**

強い
↕
弱い

3 曲想を表す用語

◉曲のイメージなどを表す用語

agitato	アジタート	激しく
amabile	アマービレ	愛らしく
cantabile	カンタービレ	歌うように
tranquillo	トランクィッロ	静かに

4 曲の速さを表す記号

◉曲全体の速さを表す記号

largo	ラルゴ	幅広く、ゆっくりと
adagio	アダージョ	静かにゆるやかに
andante	アンダンテ	ゆっくりと歩く速さで
allegretto	アレグレット	やや速く
allegro	アレグロ	快速に

5 演奏順序を表す記号

音楽の記号には、演奏を繰り返す**反復記号**もあります。

反復記号の一種であるリピート記号は 𝄆 から 𝄇 まで、反復します。曲のはじめから繰り返す場合は 𝄆 は書きません。

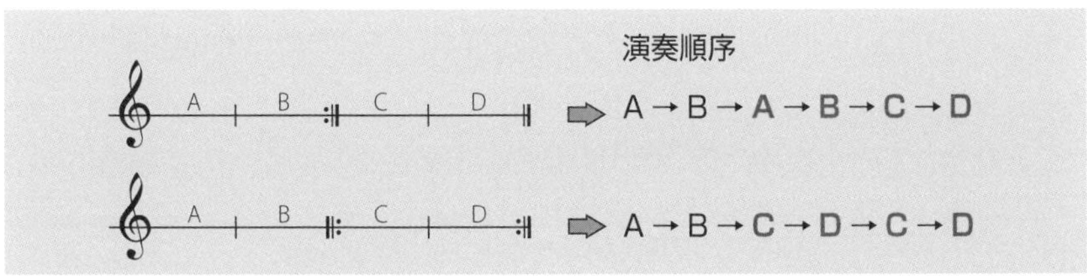

カッコのリピート記号は 1 回目は 1. を弾いて、繰り返したあとは、1. を弾かずに 2. に進みます。

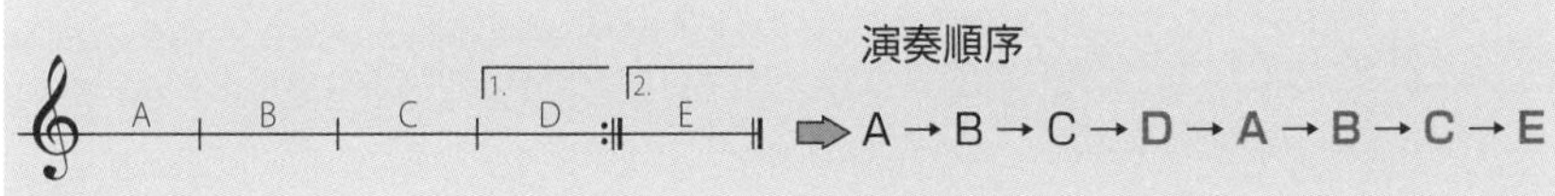

7 子どもの造形表現

1 子どもの造形表現のとらえ方

「造形表現」は、子どもの**感性**や**表現力**、創造性の育ちに関する領域です。子どもの**感じる力**や**考える力**、**想像力**を豊かに育てることを基本的な考え方とします。とはいえ、そのために特別な枠を設けて作業をさせるのではなく、子どもの思いや感覚を大切にし、積極的に、楽しみながらつくることや描くことを通して自分自身の感じ方や考え方を表現できるよう働きかけることが大切です。そうした日々の積み重ねのなかで子どもは**総合的に発達**をとげ、人間形成の基礎となる自己を表す力を養います。

Check!

造形表現に関わる保育のねらいと内容

●ねらい

・いろいろなものの美しさなどに対する豊かな感性をもつ。
・感じたことや考えたことを自分なりに表現して楽しむ。
・生活や遊びのさまざまな体験を通して、イメージや感性を豊かにする。

●内容

・水、砂、土、紙、粘土などさまざまな素材に触れて楽しむ。
・描いたり、つくったりすることを楽しみ、遊びに使ったり、飾ったりなどする。
・感じたこと、考えたことなどを自由に描いたり、つくったりなどする。

2 造形活動の発達：「つくる」と「描く」

子どもの造形活動の発達は、粘土や砂などに触れ、実際に形を「**つくる**」活動と、クレヨンや絵の具などを使って「**描く**」活動に分けられます。表現の発達に個人差はありますが、発達段階を飛び越えることはなく、順序に沿って進みます。子どもの発達段階は、表現されたものを分類し整理することで理解できます。

8 「つくる」活動の発達

1 もて遊びをする時期（1 歳半～ 2 歳半頃）

この時期の子どもは、身の回りの物を無作為にいじり、物に働きかけて遊ぶことを繰り返します。一見無意味にも思える行為ですが、結果にとらわれずに**楽しむ**中で、**つくる活動の基礎**を自分自身で経験していきます。

もて遊びの活動では、一生懸命粘土を丸めていたかと思うと叩いてのばしたり、しばらくするとまた丸め始めたりします。周りの大人にはその子どもが何をしようとしているのかまったくわからないこともあります。

2 つくってから意味づける時期（2 歳～ 3 歳半頃）

意味づけるとは、それが何であるかを**命名**することです。自分がつくった物をみて、「○○みたい」と何かを見いだします。その段階へは、ある程度の遊びの上達や、形をつくることに慣れてからとなるため、一般的には描く活動における象徴期（命名期）よりも遅れます。

この時期の子どもは、自分でこねた粘土を眺めて、「みて！ヘリコプターだよ」などともってくることがあります。つくった物に、**あとから意味づけ**をしているのです。

3 つくり遊びをする時期（3 歳～ 9 歳）

自分のなかの**イメージ**に向かって作品を完成させる時期です。「もて遊びをする時期」や「つくってから意味づける時期」と比べ、自分がつくりたいものをより具体的にイメージし、表せるようになります。そして、つくる過程にこだわりながら材料や用具の経験を増していきます。ただ、初めて扱う素材は「もて遊び」に戻って、その**物の性質を知る**ことから始めます。例えばカラフル粘土を使って、頭のなかでイメージした「イチゴのケーキ」や、「恐竜」をつくると言いながら、初めて手にするカラフル粘土に夢中になってしまい、結局ケーキや恐竜はつくらず、粘土を次から次へと混ぜて遊んだりするのもこの時期の特徴です。

また、社会性が育ってきた 5 歳頃には、**友達と協同**して大型作品を製作することも可能となります。

9 「描く」活動の発達

1 なぐりがき（スクリブル）期（1歳～2歳半頃）

一人で座り、両手を使えるようになると、身体的成長において特に肩と肘の**運動機能**の発達がみられ、腕を思いのままに動かしながらいろいろな線を描いていきます。

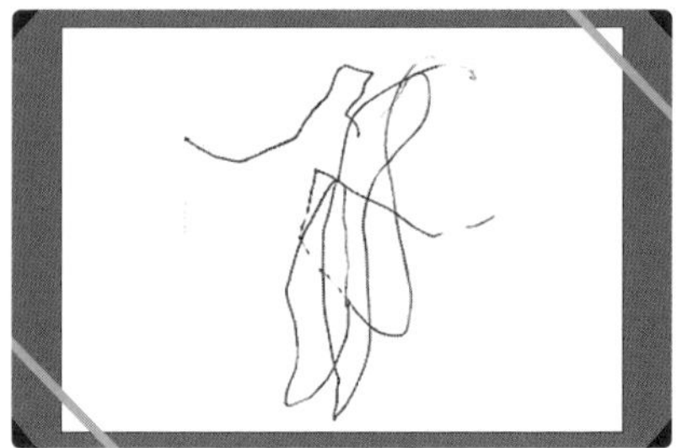

なぐりがき（スクリブル）

2 象徴期（2歳～3歳半頃）

手の動きと目で見た形が**互いに連動**し始めます。描くものをあらかじめイメージするのではなく、描いたものからイメージを呼び起こし、それが何であるかを**命名し意味をもたせる**時期です。

3 前図式期（3歳～5歳頃）

それまで身につけた線や形を組み合わせ、ハートや水玉、星形などお気に入りの形を繰り返し描き並べたり（カタログ表現）、単純な模様を描きだしたりします。また、**頭足人**という、どっしりとした頭部に似た形（実際は、頭、首、胴を含めた全体表現である）が誇張された、まるで胴体がないようにみえる表現も、この時期の特徴です。

カタログ表現

頭足人

4 図式期（4歳〜9歳頃）

だんだんと外の環境に対して意識が広がっていき、描くものにそのものらしさが備わってきます。しかし、ものを観察して再現的に描くのではなく、記憶を探り、自分なりに納得した世界観で表現をしていきます。

見えない内部を描く**レントゲン画**や、並列に描ききれず、上に描く**積み上げ表現**、ものを擬人化して描く**アニミズム**、マイナスな気持ちを絵にぶつける**代償行為**などもあります。

レントゲン画

積み上げ表現

アニミズム

代償行為

5 子どもの「描く」表現の特徴

図式期以降の絵には、子どものそれまでの経験や認識が現れます。例えば手の指を5本ずつ描いたり、歯や髪の毛などを1本ずつ描いたりします。ただそれは、自分の**記憶**や**知識**で描こうとするため、大人の感覚とは違った独特な表現になります。なので、手の指の長さの関係を知らないうちは5本の指が同じ長さになったりしますが、日常の中で徐々に知っていくうちに指同士の関係性を反映した表現になっていきます。

10 表現活動の技法と材料

1 技法遊び

紙、クレヨン、糊（のり）といった身近（みぢか）な材料や道具を使いながら、**画材（がざい）の性質**や特徴などを遊びながら体験的に学んでいきます。**技法（ぎほう）遊び**は、単純な作業を通して造形表現方法を獲得（かくとく）する最初のステップとなります。

◉スパッタリング

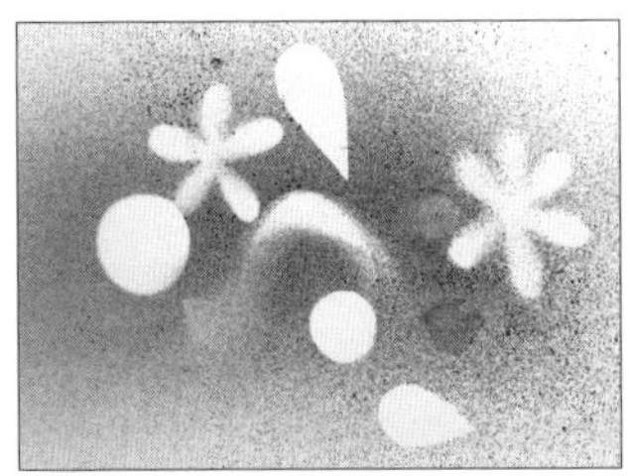

水で溶（と）いた絵の具を金網（かなあみ）などに塗（ぬ）り、上から歯ブラシなどでシャカシャカとこすって紙にしぶきを散（ち）らすと、霧（きり）のような風合（ふうあ）いがでます。あらかじめ別の型紙（かたがみ）を置いて行い後で取り除（のぞ）くと、型抜（かたぬ）きの模様ができます。

◉デカルコマニー

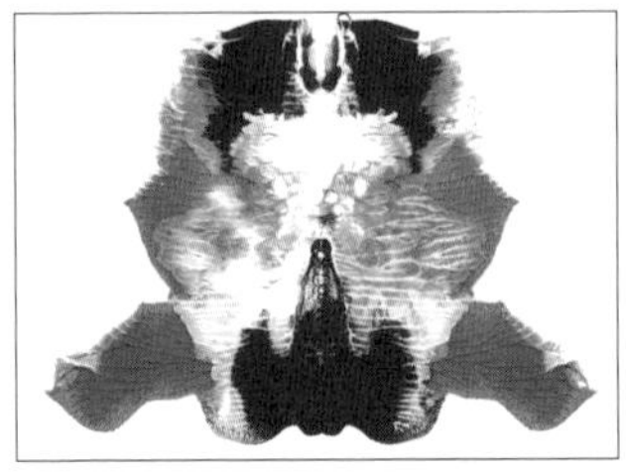

二つ折りにした紙の内側の片面に多めの絵の具をのせて紙を折り、上から押（お）さえます。再び開くとシンメトリー（左右対称）の模様ができます。異（こと）なる色が重なったり、にじんだり、思いがけない模様が現（あらわ）れる楽しさがあります。

◉コラージュ

切ったりちぎったりした素材（新聞や雑誌などの印刷物や、自然の葉っぱなど）を組み合わせて構成し、画用紙や板などに貼ります。「コラージュ」とは、フランス語で「糊づけ」を意味します。

◉マーブリング（墨流し）

容器に水を張り、水面付近で静かに墨や専用の絵の具を垂らします。指や棒でそっと水面をなでたり、息をふきかけると、流れに沿ってマーブル（大理石）のような模様ができます。その水面に紙をあてて模様を写し取ります。

◉紙染め（折り染め）

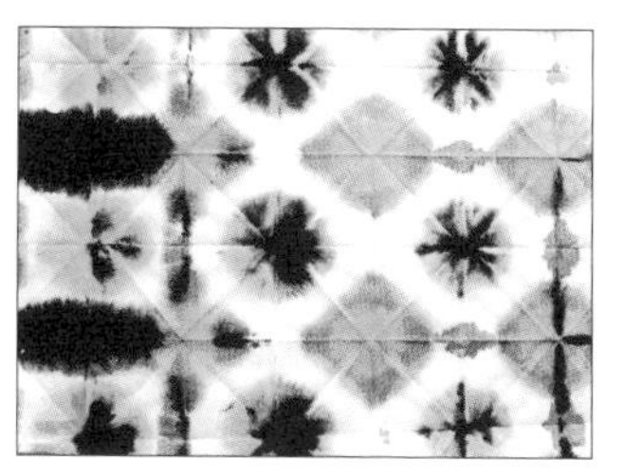

和紙などの吸水性が高い紙を小さく折りたたみ、部分的にさまざまな方向から色をしみ込ませてから広げると、折り目に沿って連続的な模様が現れます。紙の種類や、水の含ませ方の違いによって、多様なにじみが得られます。

2 版画

スタンピングは、野菜や果物など身近なものの断面の凸部に絵の具や墨などをつけて、ポンポンと紙にスタンプしながら繰り返しのリズムを体感したり視覚的に楽しんだりする技法遊びです。

スタンピングのように凸部にインクをつけて刷り取る方法の版画には、木版画などがあります。反対に、凹部にインクを詰め刷り取る版画には、**エッチング（銅版画）**などがあります。

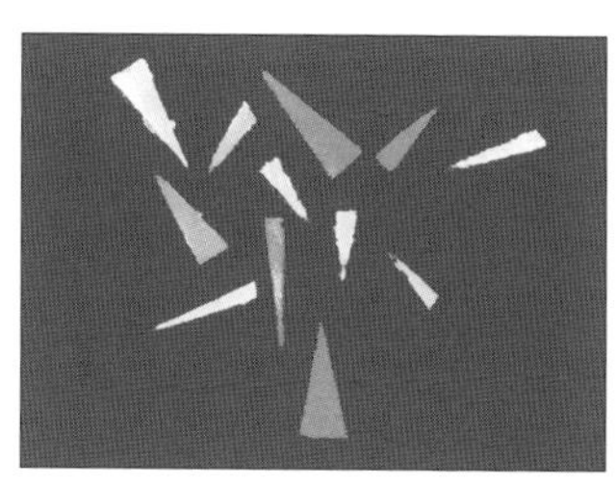

その他、孔版画の一種であるステンシルは絵柄や文字などを切り抜いた型紙を紙や素材にあてて、その上から絵の具やインクをつけた筆やスポンジなどで叩きます。抜かれた穴の形に色が通過することで、模様が浮かびます。着物のプリント柄などにも応用されています。

3　表現活動の材料

素材の選択によって子どもが**経験**できる内容は変わっていきます。表現の幅を広げ製作活動を楽しく進めていけるよう、保育者は**さまざまな材料**が選択できる環境を整え、**経験**の機会をつくることが求められます。

（1）描画材

鉛筆は濃度が異なる種類が多くあります。腕や手の力がまだ発達していない子どもには、B か 2B 程度の色が**濃くて**芯は**軟らかめ**のものが使いやすいです。力を必要とせずスムーズに線を描くことができます。描画材は他に、クレヨン、パステル、絵の具などがあり、それぞれに種類があります。

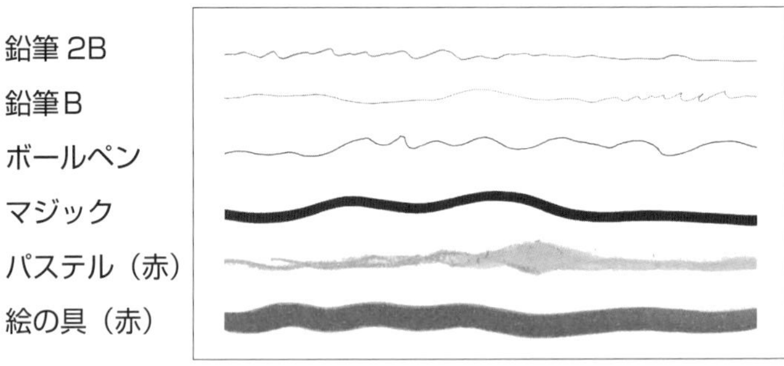

（2）紙

紙は描く活動と、つくる活動どちらにも幅広い用途（ようと）があり、子どもの造形表現には欠（か）かせません。サイズ、目の粗（あら）さ、厚さ、柔らかさ、色、強度など種類が豊富にあるので、画用紙や和紙などを**活動目的**に応じて選択します。

（3）粘土

市販の種類が増え、用途に応じた素材選びの幅が広がっています。口に入れても安全で感触遊びに適した**小麦粉粘土**（こむぎこねんど）は、子どもの粘土遊びの最初の段階でよく使われます。**油粘土**（あぶらねんど）は乾燥しにくいため、繰り返し使うことができます。**紙粘土**は、形をつくった後、乾燥（かんそう）させ、絵の具などで着色したりニスを塗ったりできます。その他、土粘土、テラコッタ、樹脂（じゅし）粘土などもあります。

11 色と形の基礎知識

1 色彩の基本

色は大きく**無彩色**（白、黒、灰色）と**有彩色**（無彩色以外の色）に分けることができます。さらに、明るさや暗さを表す**明度**、鮮やかさやくすみ、濁りなどを表す**彩度**、何色を帯びているかを表す**色相**の３つの要素があります。これらをまとめて**色の３属性**といいます。

色彩の基本知識を理解することは、子どもの造形表現はもちろんのこと、保育室の飾りつけや掲示ポスター等、子どもたちの生活環境をよりよくする上でも役立ちます。

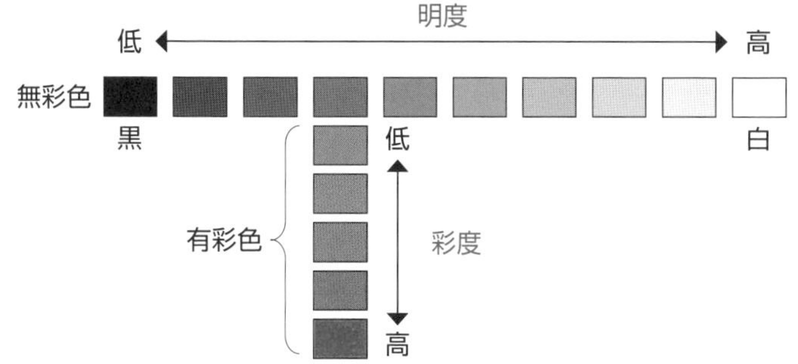

2 色相環

標準色を 12 色円環状に配置したものを色相環といいます。

色相環の対極に位置する色を**補色**といいます（例：赤の**補色**は青緑、黄の補色は青紫）。

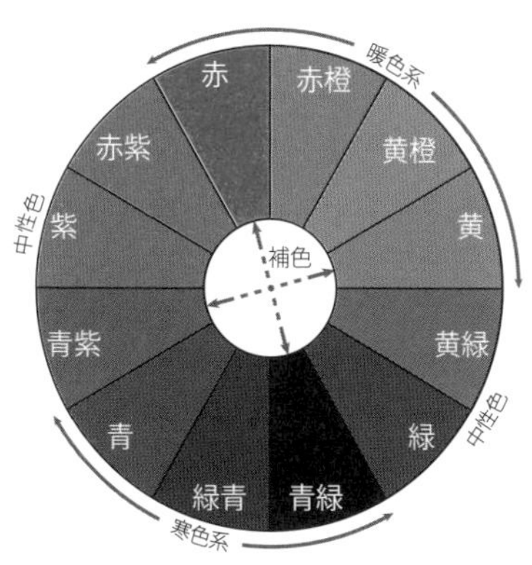

3 光と色の３原色

絵の具の色と色、また照明等の光と光を混色（こんしょく）することによってさまざまな色をつくり出すことができます。混色ではつくれない３色を３原色（げんしょく）といいます。

ココは覚える！ 光と色の３原色

光の３原色	赤・緑・青	３色を混色すると白（透明）に近づく
色の３原色	赤・黄・青	３色を混色すると灰色〜黒に近づく

- 光の３原色は色を混ぜると明度が高く（明るく）なり、色の３原色は明度が低く（暗く）なる。

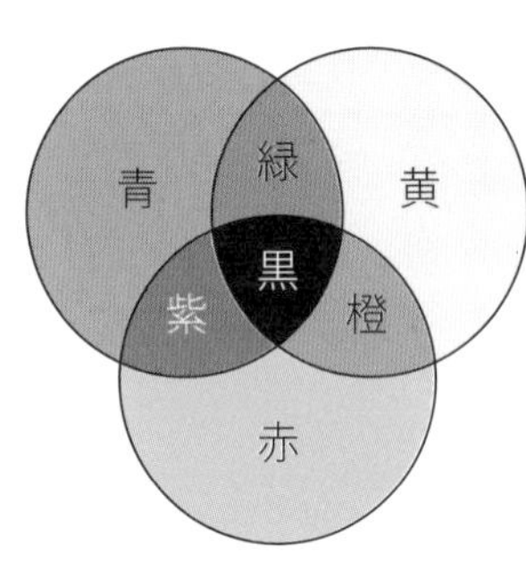

色の３原色

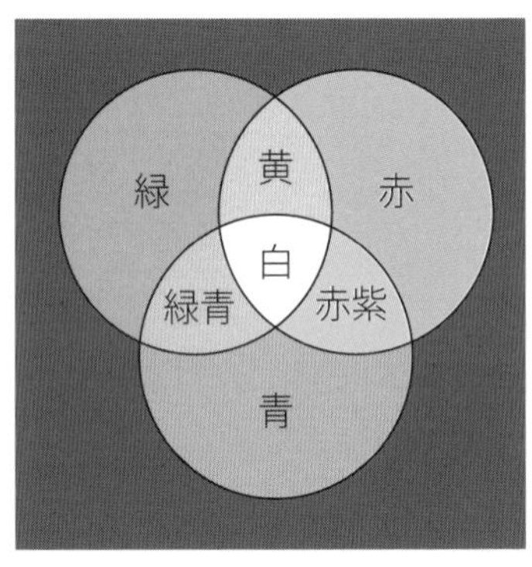

光の３原色

4 形（形態）の基本

形（形態）にも、子どもの造形表現から保育全般にわたって応用できるさまざまな基本があります。私たちの身の回りには、大まかに、自然がつくり出した**自然形**と、人間がつくり出した**人工形**があります。どのような複雑な形であっても、積み木のようにシンプルな形（基本形）と、全体を成り立たせる基本的構成に還元（かんげん）することができます。

12 表現活動の文化

1 子どもが楽しめる表現活動

絵本、紙芝居、劇、身体表現などは、子どもの成長段階や、興味、反応、人数に合わせて行います。劇は、物語のほかにもゲームやクイズなど、日常の保育や行事などで活用されます。

◉主な劇の種類とその特徴

パネルシアター	パネル布（板）に不織布製の絵人形や背景などを貼ったり、外したりして話を進める
エプロンシアター	胸あてのあるエプロンを舞台に、ポケットから出した布製の人形を使って演じる
ペープサート	両面ある紙人形に棒をつけ、表裏を返すことで動作を表現する
マペット劇	人形のなかに手指や腕を入れて演じる

2 代表的な絵本作家・画家など

絵本の世界はいつの時代も、子どもの自由な想像力を育て、子どもの気持ちを豊かにする経験となります。読み聞かせをする際は、子どもの年齢や人数、状況などに合わせて絵本を選びます。

ココは覚える! 代表的な絵本作家と代表作

松谷みよ子	いない　いない　ばあ
せなけいこ	ねないこだれだ、おばけのてんぷら
長新太	ぼくのくれよん、こんにちは！へんてこライオン
エリック・カール	はらぺこあおむし
レオ・レオニ	スイミー、フレデリック

エリック・カールの絵本はコラージュ技法が特徴的です。

13 子どもと話し言葉

1 子どもの言葉を育むお手伝い

子どもはお話が大好きです。保育士とおしゃべりをしてコミュニケーションをとることも、絵本や紙芝居のような保育教材を用いてお話を聞くことも大好きです。日々の**保育**のなかでのたくさんのおしゃべりや、さまざまなお話を通して、子どもの心と言葉が豊かに育まれるのです。

保育士は、子どもが自分なりの言葉で**表現できる**ような手助けをします。そのためには、子どもが**話しやすい雰囲気**をつくり、よい聞き手となるようにします。自分の話を聞いてもらいたいという気持ちを満たすような関わりをします。

2 保育士は子どもの言葉の手本

子どもは保育士が使う言葉をよく聞いています。「おはようございます」「いただきます」「ありがとう」などの**あいさつ**や、人と関わるときに必要な言葉を保育士がお手本となって使いましょう。子どもは保育士の言葉を**まね**しながら、意味を理解し、使うようになります。

お話をちゃんと聞いてもらえると嬉しいよね。

Check!

言葉を育む子どもへの関わりを check!

- □ 一人ひとりの子どもにとっての話しやすい雰囲気を大切にしている
- □ 日常のあいさつや言葉による表現を大切にしている
- □ 子どもが話す姿を受け止めている
- □ 子どもの発する声や言葉に応えている
- □ 子どもとの会話を楽しんでいる

3 保育教材と年齢

言葉に関する保育教材には、絵本の読み聞かせや紙芝居のほかに、絵本などの視覚的な道具を使わず話をする**素話**（すばなし）などがあります。

子どもがお話を楽しむためには、保育士の表現技術なども求められます。子どもと目と目を合わせ、表情を読み、気持ちを込めた言葉を伝えることで、子どもは絵本や物語などの世界を楽しみながら**想像力**や言葉を発達させていくのです。

では、どのような絵本や物語などがよいのでしょうか。

2歳頃までは、はっきりとした絵が中心のものや、簡単な言葉で身近なものを題材にしたものが子どもの興味をひき、親しみやすく、言葉の発達を助けます。

2歳頃になると、**語彙爆発**（ごいばくはつ）という急激に言葉を獲得する時期がきます。生活の場面や、身近な自然や生き物に関する絵本などにも関心をもち、イメージをふくらませて楽しむことができるようになります。

3歳以降では、簡単なストーリーがわかるようになり、絵本に登場する人物や動物を**自分**と**同化**して考えたり、想像をふくらませたりして、その内容や面白さを楽しむようになります。次第に起承転結（きしょうてんけつ）のある物語やファンタジーなども楽しめるようになります。

Check!

読み聞かせや紙芝居のポイント

選びかたのポイント	・子どもの興味や発達に合った内容を選ぶ ・**季節感**や行事を考慮（こうりょ）して選ぶ ・いつ読むのか、保育の流れを考慮して選ぶ
準備のポイント	・内容を理解して何度も読む**練習**をする ・みやすく、聞きやすい場所を考える ・紙芝居は、抜く**タイミング**を考えておく
読むときのポイント	・絵本は子どもにみえるようにもって開けているかを確認する ・子どもの反応を受け止めながら、**表情**豊かに読み聞かせる ・お話の終わりには**余韻**（よいん）を残して終わる

ここでチャレンジ！①

一問一答で確認してみましょう。○×を答えてね。
ただし、（　★　）は穴埋め問題です。入る言葉を答えましょう。

問 1
check! □□

保育の「養護（ようご）」の側面には「生命の保持」と「（　★　）」の２つの側面がある。

問 2
check! □□

「周囲の様々な環境に好奇心や探求心をもって関わり、それらを生活に取り入れていこうとする力を養う」は、５領域の１つである（　★　）を示している。

問 3
check! □□

職員のそれぞれの職種の専門性を発揮しながら（　★　）した上で、一人ひとりの子どもを理解する。

問 4
check! □□

児童養護施設での実習において、日誌は後日、見返してもわかるようにするため子どもの個人名を記載しなければならない。

問 5
check! □□

2024（令和６）年４月施行の改正児童福祉法によって児童福祉施設として新たに加わったのは、里親支援センターである。

問 6
check! □□

この和音はドミソとレファラとシファソである。

問 7
check! □□

②と④、⑥と⑧は短３度、
④と⑥、⑤と⑦は長３度である。

答 1 情緒の安定

情緒の安定のためには、一人ひとりの子どもを受け止め、子どもが安心できる関わりや環境をつくることに留意する。

答 2 環境

保育の内容の「教育の側面」には、「**健康**」「**人間関係**」「**環境**」「**言葉**」「**表現**」の 5 領域がある。

答 3 情報交換

専門の異なる職員が連携し、話し合い等の**情報交換**を行うことで子どもを多面的にとらえることができる。

答 4 ×

児童福祉施設の種類にかかわらず**プライバシーの保護**を考慮し、日誌では子どもの個人名を記載しないでアルファベットやイニシャルを使用して示すことが多い。

答 5 ○

里親支援センターに配置される職員には、里親として 5 年以上の委託児童の養育の経験を有する者、**小規模住居型児童養育事業**の養育者などがいる。

答 6 ×

𝄢（ヘ音記号）の**ドミソ**と**ドファラ**と**シファソ**である。コードネームでは C と F と G_7 である。ハ長調の伴奏に使われる主要三和音である。

答 7 ○

半音である**ミファ**または**シド**を含むか含まないかが音程種類（長短）の判別ポイントである。

ここでチャレンジ！②

一問一答で確認してみましょう。○×を答えてね。
ただし、（　★　）は穴埋め問題です。入る言葉を答えましょう。

この「調号」はト長調である。

問 2
check!

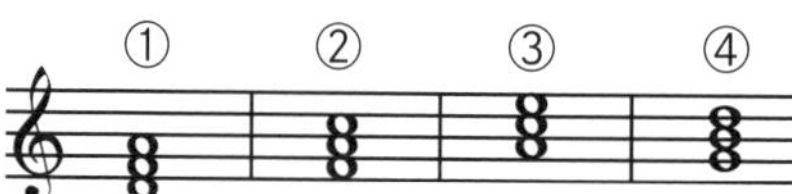

長三和音は①と③である。

問 3
check!

「描く」発達で、前図式期にみられる頭部に特徴のある絵を「積み上げ表現」という。

問 4
check!

二つ折りにした紙の内側に多めの絵の具をのせて紙をおりたたみ、再び開くと模様が浮かぶ表現技法をデカルコマニーという。

問 5
check!

光の 3 原色は、赤・黄・青である。

問 6
check!

胸あてのあるエプロンに、ポケットから出した人形をつけて話を進める劇を、パネルシアターという。

問 7
check!

言葉が著しく発達し、語彙爆発と呼ばれるのは（　★　）歳頃である。

答 1 ×

♭1つはヘ長調である。ト長調は♯1つである。

答 2 ×

長三和音は②（ファラド）と④（ソシレ）である。①（レファラ）と③（ラドミ）は短三和音である。根音から第3音の音程が判別のポイントである。

答 3 ×

大きな頭部が誇張（こちょう）された胴体のない絵を**頭足人**（とうそくじん）という。前図式期には他に**カタログ表現**がある。

答 4 ○

シンメトリー（左右対称）の模様ができる。

答 5 ×

赤・黄・青は色の3原色である。光の3原色は、赤・**緑**・青で、3色を混ぜると**白**に近づく。

答 6 ×

エプロンを使うのは**エプロンシアター**である。パネルシアターはパネル布（板）に人形や背景を貼って劇を行う。

答 7 2

「ママ、だっこ」「わんわん、きた」などの**二語文**などを話すようになる。

実技試験

実技試験は受験申請のときに３分野から２分野を選択し、同時にどちらも６割以上の得点で合格です。
ここでは３分野のポイントを確認しましょう。

1 音楽に関する技術

保育士として必要な歌、伴奏（ばんそう）の技術、リズムなど、**総合的**に豊かな表現ができることが求められています。

ここでは、歌がしっかり歌えることを一番に考えます。保育士として、子ども達に**歌の楽しさ**を伝えられること、一緒に歌いたいと思わせられることが大切です。伴奏の試験ではありませんので、伴奏を少しくらい間違っても、**笑顔**で最後まで**歌いきる**ことがポイントです。

2 造形に関する技術

保育の状況をイメージした造形（ぞうけい）表現（情景・人物の描写や色使いなど）ができることが求められています。

問題、条件などは当日発表されます。保育士や子どもなどの複数の人物、室内、園庭など、テーマを決めて練習しておくことが大事です。制限時間が**45分以内**と短いので、時間内に描（か）ききる練習も必要です。全体的に**明るい色**で、すべての**条件**を満たし、背景を含めた**色塗り**まで終わらせることがポイントです。

3 言語に関する技術

保育士として必要な基本的な声の出し方、表現上の技術、幼児に対する話し方ができることが求められています。

課題の４つのお話から１つを選び、３歳児クラスの子どもが15人程度いることを想定して、３分間のお話をします。一般的なあらすじを通して、３歳児が**お話の世界を楽しめるように**、３分間にまとめましょう。また、過不足（かふそく）ない**声**の大きさや、お話の内容をイメージできるような身振り・手振りを加え、実際にそこに子ども達がいて**目と目**を合わせて語るように話すことがポイントです。

■監修：近喰　晴子
和田実学園学事顧問、東京教育専門学校副校長、目白幼稚園長。前秋草学園短期大学学長。日名子太郎に師事し、保育学に関する研究を重ねる。保育内容、保育者論、実習関係等のテキストを執筆。

■執筆者

✿保育の心理学
稲場　健
新潟中央短期大学准教授

✿保育原理
長谷川　孝子
清泉女学院短期大学教授

✿子ども家庭福祉・社会福祉
高野　亜紀子
東北福祉大学准教授

✿教育原理
酒井　真由子
上田女子短期大学教授

✿社会的養護
今井　大二郎
駒沢女子短期大学准教授

✿子どもの保健
向笠　京子
昭和女子大学准教授

✿子どもの食と栄養
筒浦　さとみ
新潟大学准教授

✿保育実習理論・指針等、言語
岡本　かおり
洗足こども短期大学准教授

✿保育実習理論・音楽
谷上　公子
洗足こども短期大学非常勤講師

✿保育実習理論・造形
中尾　泰斗
鳥取大学准教授

■編著：コンデックス情報研究所
1990年6月設立。法律・福祉・技術・教育分野において、書籍の企画・執筆・編集、大学および通信教育機関との共同教材開発を行っている研究者・実務家・編集者のグループ。

■本文イラスト：オブチミホ

■企画編集　成美堂出版編集部

本書の正誤情報や、本書編集時点から 2025 年に行われる後期試験の出題法令基準日までに施行される法改正情報等は、下記アドレスでご確認ください。

http://www.s-henshu.info/hont2407/

上記掲載以外の箇所で正誤についてお気づきの場合は、**書名・発行日・質問事項**（**該当ページ・行数・問題番号**などと**誤りだと思う理由**）・**氏名・連絡先**を明記のうえ、お問い合わせください。

・web からのお問い合わせ：上記アドレス内【正誤情報】へ
・郵便または FAX でのお問い合わせ：下記住所または FAX 番号へ

※電話でのお問い合わせはお受けできません。

［宛先］コンデックス情報研究所
「保育士 入門テキスト '25 年版」係
住　　所：〒 359-0042 所沢市並木 3-1-9
FAX 番号：04-2995-4362（10:00 ～ 17:00　土日祝日を除く）

※**本書の正誤以外に関するご質問にはお答えいたしかねます**。また、受験指導などは行っておりません。
※ご質問の受付期限は、2025 年 10 月の筆記試験日の 10 日前必着とします。
※回答日時の指定はできません。また、ご質問の内容によっては回答まで 10 日前後お時間をいただく場合があります。
あらかじめご了承ください。

コンデックス情報研究所では、合格者の声を募集しています。試験にまつわるさまざまなご意見・ご感想等をお待ちしております。こちらのアドレスよりお進みください。
http://www.condex.co.jp/gk

保育士入門テキスト '25年版

2024年 9 月10日発行

監　修　近喰晴子
編　著　コンデックス情報研究所
発行者　深見公子
発行所　成美堂出版
〒162-8445　東京都新宿区新小川町1-7
電話(03)5206-8151 FAX(03)5206-8159
印　刷　広研印刷株式会社

ISBN978-4-415-23884-5